história da **Pedagogia**

Paulo Freire

A educação como ato político

A luta por uma ação educativa crítica, progressista e transformadora

Teresa Cristina Rego - Organizadora

1ª edição
São Paulo, 2018

Editora Segmento

Dados Internacionais de Catalogação na Publicação (CIP)
(Câmara Brasileira do Livro, SP, Brasil)

Paulo Freire : a educação como ato político : a
luta por uma ação educativa crítica, progressista
e transformadora / Teresa Cristina Rego,
organizadora. -- 1. ed. -- São Paulo : Editora
Segmento, 2018. -- (História da pedagogia)
Vários autores.
Bibliografia.
ISBN 978-85-89636-31-5
1. Educação - História 2. Freire, Paulo, 1921-1997
3. Pedagogia - História I. Rego, Teresa Cristina.
II. Série.
18-19128 CDD-370.9

Índices para catálogo sistemático:
1. Educação : História 370.9
2. Pedagogia : História 370.9
Cibele Maria Dias - Bibliotecária - CRB-8/9427

Introdução

OPORTUNIDADE RENOVADA

Em seu quarto volume, História da Pedagogia traz uma breve introdução à vida e à obra de um dos maiores educadores brasileiros, aquele de maior renome internacional: Paulo Freire.

Seu legado (que envolve variado espectro de temas, como alfabetização, educação de adultos e análise política da educação) influenciou toda uma geração de pensadores de vários países (como Henry Giroux, Michael Apple, António Nóvoa e Peter Mc Laren) e continua vigoroso, capaz de gerar debates, controvérsias e ações no plano educativo. Curiosamente, embora goze de enorme prestígio internacional, sua obra não é conhecida e valorizada o bastante no contexto brasileiro.

O conjunto de autores convidados - Celso de Rui Beisiegel (lamentavelmente recém falecido), Danilo Streck, Jaime José Zitkoski, Lisete Arelaro, Regina Cabral, Antônio Fernando Gouvêa da Silva, Ana Maria Saul, Cintya Ribeiro, Gomercindo Ghiggi e Michelle Nóbrega – oferece a oportunidade de reconhecer o quanto o pensamento pedagógico de Paulo Freire se mantém atual e estimulante. A leitura da obra permitirá compreender traços de sua trajetória pessoal (em particular seu engajamento político e a luta contra a ditadura, que o fez viver no exílio por muito tempo), sua experiência em universidades estrangeiras, a atuação em organismos internacionais na América Latina e em outras partes do mundo, suas principais teses, a visão educativa, a perspectiva dialógica, as ideias de transformação do mundo, de libertação dos oprimidos, suas críticas à "educação bancária" (a tradicional) e à atividade docente, além das revolucionárias proposições metodológicas.

O conjunto dos capítulos oferece, também, exemplos de múltiplas interpretações que sua obra suscita. Como avalia Danilo Streck num dos textos aqui apresentado: "Os anos que nos separam da morte de Paulo Freire, ocorrida em 1997, são um espaço de tempo curto para se efetuar um balanço mais rigoroso de sua contribuição para a educação. Talvez por isso não raro deparamo-nos com a polêmica dos "contra" e dos "a favor". Os primeiros argumentando que Paulo Freire deveria ser esquecido porque existem propostas pedagógicas mais atuais e relevantes, e o segundo grupo reverenciando-o como alguém que se encontra fora e acima das críticas. Tanto uma como a outra postura são pouco produtivas para a educação, além de contrárias ao próprio pensamento de Paulo Freire. Ele tinha plena consciência da transitoriedade daquilo que se faz e pensa, mas paradoxalmente era capaz de ver nessa mesma transitoriedade os sinais de permanência e de transcendência. Parece mais adequado reconhecer que nos deparamos hoje com múltiplos Freires e que não faz sentido colocar-se como guardião do que supostamente poderia ser o verdadeiro Freire". É um prazer trazer aos leitores parte desses múltiplos olhares.

Vale informar que o conteúdo do presente livro foi originalmente publicado como um dos fascículos da Série História da Pedagogia, coleção especial da Revista Educação - Editora Segmento. Tal série – editada por Rubem Barros e por mim concebida e coordenada - foi vendida em bancas e livrarias de todo o país durante o ano de 2010, com expressiva receptividade do público leitor. Esta é a principal razão que nos motivou a publicar os textos das revistas em forma de livros.

Teresa Cristina Rego é professora
da Faculdade de Educação da USP

Sumário

BIOGRAFIA INTELECTUAL **01**
A EDUCAÇÃO POPULAR COMO LEITURA DO MUNDO
PORCELSO DE RUI BEISIEGEL

PRINCIPAIS TESES **21**
TESES CENTRAIS DA PEDAGOGIA FREIREANA
POR DANILO ROMEU STRECK E JAIME JOSÉ ZITKOSKI

CONTRIBUIÇÕES PARA A EDUCAÇÃO **41**
O PENSADOR E A EDUCAÇÃO CONTEMPORÂNEA
POR DANILO R. STRECK

O LEGADO - I **59**
A ATUALIDADE DE UM PENSAMENTO DIALÓGICO
POR LISETE REGINA GOMES ARELARO E
MARIA REGINA MARTINS CABRAL

O LEGADO - II **73**
POLÍTICAS CURRICULARES: NOVOS OLHARES
POR ANA MARIA SAUL E ANTÔNIO FERNANDO GOUVÊA DA SILVA

O LEGADO - III **87**
CULTURA E IDENTIDADE EM TEMPOS PÓS-MODERNOS
POR CINTYA REGINA RIBEIRO

EXCERTOS **101**
DIMENSÕES POLÍTICAS DA PRÁTICA EDUCATIVA
POR ANTÔNIO FERNANDO GOUVÊA DA SILVA

BIBLIOGRAFIA COMENTADA **113**
LEITOR DO MUNDO, UM MUNDO EM LETRAS
POR GOMERCINDO GHIGGI E MICHELLE NÓBREGA

REFERÊNCIAS BIBLIOGRÁFICAS **127**

A EDUCAÇÃO POPULAR COMO LEITURA DO MUNDO

Por Celso de Rui Beisiegel

Para Paulo Freire, o trabalho educativo numa democracia é sempre um trabalho com o homem

Paulo Freire nasceu no Recife, em 19 de setembro de 1921 e faleceu em São Paulo, em 2 de maio de 1997. Casou-se com Elza Maria Costa de Oliveira em 1944. Tiveram cinco filhos: Maria Madalena, Maria Cristina, Maria de Fátima, Joaquim e Lutgardes. Após o falecimento de Elza casou-se, em 1988, com Ana Maria Araújo.

Cursou a escola primária em Jaboatão e completou os estudos secundários no Colégio Oswaldo Cruz, no Recife. Desde a reforma Francisco Campos, de 1931, até 1942, funcionavam dois ciclos do ensino secundário, o Fundamental, com cinco anos letivos, e o Complementar, de caráter propedêutico, com dois anos de duração. O Complementar subdividia-se em três seções, a "pré-jurídica", a "pré-médica" e a "pré-engenharia". Nas "notas" que preparou para o livro Pedagogia da Esperança, Ana Maria Araújo Freire relata que Paulo Freire, como todas as pessoas que então se inclinavam para uma formação dentro das ciências humanas, encaminhou-se para o ensino complementar pré-jurídico e, daí, para a Faculdade de Direito. Iniciou o curso pré-jurídico em 1941, ingressou na Faculdade de Direito em 1943 e diplomou-se em 1946. Diplomou-se em Direito, mas não chegou a afirmar-se na advocacia. Em diversas entrevistas Paulo Freire informa que não chegou a praticar a advocacia. Sua primeira experiência de trabalho convenceu-o de que não se ajustava às exigências dessa profissão.

Foi professor de Português, no Colégio Oswaldo Cruz, e, em 1947, ingressou no recém-criado Sesi de Pernambuco, na diretoria do setor de Educação e Cultura. No livro Pedagogia da Esperança, Paulo Freire relata que ingressou no Sesi por convite que lhe chegou por intermédio de um amigo e colega de estudos no Colégio Oswaldo Cruz. Dirigiu o setor de Educação e Cultura da instituição entre 1947 e 1954 e ocupou sua Superintendência de 1954 a 1957. Conforme relatos do educador, sua passagem pelo sesi foi decisiva na formação de suas primeiras orientações no campo da educação popular. Datam desse período as notáveis reflexões a propósito do assistencialismo que apresentou, anos depois, na tese de concurso para a cadeira de História e Filosofia da Educação da Escola de Belas Artes de Pernambuco. Em entrevistas posteriores, Paulo Freire remete para esse período as experiências cruciais na formação de suas ideias sobre as relações entre educador e educando. As dificuldades de comunicação com os trabalhadores e a procura de uma melhor compreensão da linguagem popular encaminharam-no para práticas de educação fundadas nas realidades da vida dos setores desfavorecidos do Recife.

Entre 1954 e 1957, assumiu a Superintendência da instituição. Lecionou Filosofia da Educação na Escola de Serviço Social do Recife. Em 1958, relatou, no Rio de Janeiro, a comunicação da Secretaria de Educação de Pernambuco ao Segundo Congresso Nacional de Educação de Adultos, Nesse trabalho, intitulado "A Educação de Adultos e as Populações Marginais: Mocambos", encontram-se já delineadas

CRONOLOGIA

1921
Paulo Reglus Neves Freire nasceu no Recife, capital de Pernambuco, em 19 de setembro de 1921.

1934
Com 13 anos de idade ficou órfão do pai.

1937
Ingressou, como bolsista, no ensino secundário do Colégio Oswaldo Cruz, no Recife.

1941
Ingressou no curso complementar pré-jurídico em 1941.

as ideias desenvolvidas no ano seguinte sobre o homem, a educação e a sociedade no texto apresentado como tese de concurso à Escola de Belas Artes de Pernambuco. Nesse concurso para provimento da cadeira de História e Filosofia da Educação da Escola de Belas Artes apresentou a tese intitulada Educação e Atualidade Brasileira. Concorreu com a pesquisadora Maria do Carmo Tavares de Miranda, que apresentou ao concurso a tese intitulada Pedagogia do Tempo e da História. Embora não fosse indicado para a cadeira, a participação no concurso facultou-lhe a obtenção do título de doutor e possibilitou sua nomeação em caráter efetivo, no ano seguinte, para o magistério de Filosofia e História da Educação da Faculdade de Filosofia, Ciências e Letras da Universidade do Recife.

Nesse período envolveu-se em diversas outras tarefas e ocupações: em maio de 1960, foi um dos intelectuais participantes na constituição e no início das atividades do Movimento de Cultura Popular (MCP) do Recife, um importante movimento de cultura popular então criado pelo prefeito Miguel Arraes e organizado sob a liderança de Germano Coelho. Paulo Freire assumiu a direção da Divisão de Pesquisas da nova entidade. Em fevereiro de 1962, participou da criação e assumiu a direção do Serviço de Extensão Cultural da Universidade do Recife.

Ainda enquanto diretor da Divisão de Pesquisas do mcp criou os círculos de cultura e os centros de cultura do movimento. Os círculos de cultura consistiam em agrupamentos de adultos das camadas populares formados para o exame e a discussão de temas sugeridos pelos próprios participantes. Depois de algum tempo, observando o bom rendimento dos diálogos nos círculos de cultura, o educador concluiu

1944
Casou-se com Elza Maria Costa Oliveira, quando ainda cursava a Faculdade de Direito. O casal teve cinco filhos: Maria Madalena, Maria Cristina, Maria de Fátima, Joaquim e Lutgardes.

1947
Ingressou no recém-criado Serviço Social da Indústria (Sesi) de Pernambuco em 1947.

1958
Relatou a comunicação da equipe da Secretaria de Educação e Cultura de Pernambuco ao Segundo Congresso Nacional de Educação de Adultos.

1959
Apresentou o trabalho Educação e Atualidade Brasileira como tese de concurso para provimento da cátedra de Filosofia e História da Educação na Escola de Belas Artes de Pernambuco, da Universidade do Recife.

que os mesmos procedimentos poderiam funcionar também no processo de alfabetização de adultos. Experimentou pôr em prática essa ideia logo depois, no Centro de Cultura Dona Olegarinha, na localidade conhecida como Poço da Panela. O primeiro ensaio do novo método de alfabetização foi iniciado em janeiro de 1962, envolvendo cinco adultos analfabetos. Começava aí a constituir-se o método de alfabetização de adultos, o ponto de partida das propostas pedagógicas que levariam o educador a ser conhecido em grande parte do mundo.

No final de 1962 e nos primeiros meses de 1963, Paulo Freire coordenou a Campanha de Alfabetização de Adultos empreendida pelo Governo do Rio Grande do Norte. Conforme relato de Carlos Lyra, com limitado espaço político de atuação em Pernambuco, o educador aceitou a coordenação desse movimento para testar suas ideias sobre o processo de alfabetização de adultos, em mais larga escala, no Rio Grande do Norte, onde teria os recursos e o apoio que lhe eram negados em Pernambuco. Segundo Carlos Lyra, "no quadro político da região nordestina, dois fortes competidores de Aluísio Alves, os prefeitos Miguel Arraes, em Pernambuco, e Djalma Maranhão, no Rio Grande do Norte, atuavam intensivamente no campo da educação popular, com o [...] MCP do Recife e a Campanha De Pé no Chão também se aprende a ler, em Natal. O governo Aluísio Alves buscava, pois, contrapor a esses movimentos a sua campanha de alfabetização de adultos, a ser iniciada com o emprego do método de Paulo Freire na experiência-piloto programada para a cidade de Angicos". O governo estadual articulou em torno da experiência de Angicos uma eficiente ação de propaganda, que entre outras consequências tornou Paulo

1960
Com outros intelectuais, participou da fundação do Movimento de Cultura Popular (MCP) do Recife. Iniciou no MCP as experiências de criação do método de alfabetização de adultos.

1961
Publicou o artigo "Escola Primária para o Brasil" na Revista Brasileira de Estudos Pedagógicos (RBEP).

1962
Criou o Serviço de Extensão Cultural (Sec) da Universidade do Recife. Designado para a direção do novo órgão, Paulo Freire constituiu uma pequena equipe e deu sequência às pesquisas de elaboração do método de alfabetização de adultos.

Freire um educador bastante conhecido em todo o Brasil. Apoiada na rapidez obtida na fase inicial da alfabetização, a campanha então empreendida adotou como sua marca as quarenta horas de duração dos trabalhos. Nos termos da campanha, "um método inovador, capaz de alfabetizar o adulto em quarenta horas, iniciava, no Rio Grande do Norte, a redenção dos brasileiros pela via da educação".

Se a ênfase colocada nas quarenta horas atendia às necessidades políticas do Governo do Estado, as preocupações de Paulo Freire e dos jovens que atuaram na experiência eram diferentes e bem mais amplas: a exposição, em âmbito nacional, das propostas do educador a partir da experiência de Angicos, ao mesmo tempo que divulgava a campanha de alfabetização das quarenta horas, contribuía também para esclarecer largos setores da opinião pública sobre as características das propostas do educador. Em pouco tempo, a insistente atenção à rapidez da apropriação das técnicas de leitura pelos analfabetos cedeu lugar a outros aspectos mais relevantes do método de alfabetização. Outros movimentos e campanhas de alfabetização, tais como a Campanha de Educação Popular de João Pessoa, na Paraíba, a Campanha De Pé no Chão também se aprende a ler, de Natal, o projeto-piloto de alfabetização da União Estadual de Estudantes (UEE), de São Paulo, e até mesmo o programa de alfabetização da União Nacional de Estudantes (UNE) já adotavam ou vinham examinando a conveniência da adoção do método de Paulo Freire quando as possibilidades de aproveitamento das propostas do educador em âmbito nacional começam a sensibilizar o Ministério da Educação. No segundo semestre de 1963, Paulo Freire foi decididamente incorporado ao Ministério da

1963

• Coordenou a realização do programa de alfabetização de adultos do Governo do Estado do Rio Grande do Norte.

• Publicou na revista Estudos Universitários, da Universidade do Recife, o artigo "Conscientização e Alfabetização: Uma Nova Visão do Processo", onde expõe pela primeira vez as orientações e características de seu método de alfabetização de adultos.

• Convocado a participar da elaboração das propostas para as políticas públicas de educação popular então projetadas para o país pelo Governo da União, deslocou o foco de sua atuação para o âmbito nacional, junto ao Ministério da Educação.

Educação e a anterior apropriação de suas propostas pedagógicas pela campanha de alfabetização das quarenta horas já era coisa do passado. O educador coordenava a Comissão Nacional de Cultura Popular e seu método fora escolhido para o ambicioso recém-iniciado Programa Nacional de Alfabetização, quando o Governo Jango Goulart foi deposto pela denominada Revolução de 1964. Incluído pelo governo revolucionário entre os inimigos da ordem social então reafirmada, o educador foi indiciado num dos Inquéritos Policiais Militares (IPM) então instaurados e ficou 75 dias preso num quartel do exército. Em setembro desse mesmo ano, a percepção de novas ameaças levou-o a buscar asilo na Embaixada da Bolívia e a deslocar-se, em seguida, para esse país. Logo depois, juntou-se à numerosa leva de refugiados políticos então abrigados no Chile.

O EXÍLIO E O REGRESSO

Paulo Freire encontrou boa acolhida e amplas possibilidades de trabalho na Democracia Cristã então dominante no governo chileno. Integrou-se no Escritório Especial para a Educação de Adultos e no Instituto de Pesquisa e Treinamento em Reforma Agrária (Icira), lecionou na Universidade Católica e atuou como consultor do Escritório Regional da Unesco, em Santiago. Durante sua permanência no Chile, onde ficou de 1964 a 1969, publicou numerosos artigos e os livros Educação como Prática da Liberdade (1965), Extensão ou Comunicação (1969) e Pedagogia do Oprimido (concluído no Chile em 1968 e publicado algum tempo depois, nos Estados Unidos). Este livro foi considerado pela crítica

1964
Em 17 de fevereiro foi designado pelo MEC para a Comissão Especial do Programa Nacional de Alfabetização e designado para coordenar o Programa Nacional de Alfabetização em todo o país.

1964
A deposição do Governo Goulart precipitou o cancelamento de todas essas atividades. Logo depois, a Portaria nº 237, de 14 de abril, revogou, entre muitas outras, as portarias sobre a Comissão de Cultura Popular e o Programa Nacional de Alfabetização. Paulo Freire foi indiciado num dos numerosos inquéritos instaurados para a apuração de "atividades subversivas".

especializada como seu trabalho mais importante.

Transferiu-se para os Estados Unidos em abril de 1969. Lecionou em Harvard, até fevereiro de 1970. Em seguida, assumiu a posição de consultor junto ao Departamento de Educação do Conselho Mundial das Igrejas, em Genebra. Lecionou na Universidade de Genebra. Com Claudius Ceccon, Rosiska Darcy de Oliveira e Miguel Darcy de Oliveira, participou da criação e das atividades do Instituto de Ação Cultural (Idac). Publicou importantes estudos sobre a educação política, "a humanização e suas implicações pedagógicas" e "o papel educativo das Igrejas na América Latina", depois reunidos com outros trabalhos no livro Ação Cultural para a Liberdade e outros Escritos (editado em 1976). Data dessa época sua aproximação aos movimentos de libertação colonial na África, bem documentada nos livros Cartas à Guiné-Bissau, de 1977, e Pedagogia da Esperança, de 1992.

Paulo Freire voltou ao Brasil em junho de 1980, após viagem preparatória ao retorno, em agosto do ano anterior. Foi contratado como professor pela PUC-SP e, logo depois, vinculou-se também à Unicamp. Dedicou-se ao ensino e à orientação de alunos e desenvolveu intenso debate intelectual em encontros e congressos diversos, em conferências, palestras e entrevistas com outros educadores, no Brasil e no exterior. Recebeu títulos de Doutor Honoris Causa em muitas universidades no Brasil, na América e na Europa. Após a posse de Luiza Erundina na Prefeitura do Município de São Paulo assumiu, em janeiro de 1989, o cargo de Secretário da Educação. Permaneceu no cargo até maio de 1991. No segundo semestre de 1991 foi professor visitante na USP. Até seu falecimento, em maio de 1997, continuou desenvol-

1964
Na sequência dessa e de outras ameaças, em setembro de 1964 refugiou-se na embaixada da Bolívia. Dirigiu-se à Bolívia e, logo depois, ao Chile.

1965
Concluiu a preparação do livro Educação como Prática da Liberdade, publicado em 1967.

1968
Concluiu a redação do livro Pedagogia do Oprimido. Sua primeira edição saiu em inglês, nos Estados Unidos, em 1970.

1969
Publicou o livro Extención o Comunicación, em Santiago do Chile. Em abril de 1969 transferiu-se para os Estados Unidos. Lecionou em Harvard até fevereiro de 1970.

vendo intensa atividade intelectual. Após o retorno ao Brasil publicou, entre outros trabalhos, Ideologia e Educação: Reflexões sobre a Não Neutralidade em Educação, em 1981; no ano seguinte, A Importância do Ato de Ler; em 1991, A Educação na Cidade; em 1992, Pedagogia da Esperança: um Reencontro com a Pedagogia do Oprimido; em 1993, Professora sim, Tia não: Cartas a quem Ousa Ensinar; ainda em 1993, Política e Educação: Ensaios; em 1994, Cartas a Cristina; em 1995, À Sombra desta Mangueira; e, em 1996, Pedagogia da Autonomia. Publicou, também, um amplo elenco de livros produzidos a partir de diálogos com educadores e intelectuais brasileiros e estrangeiros.

ALFABETIZAÇÃO DO ADULTO E A POLÍTICA

A comunicação da equipe de Pernambuco ao II Congresso Nacional de Educação de Adultos, relatada por Paulo Freire, no Rio de Janeiro, em 1958, já antecipava algumas orientações centrais da tese apresentada à Escola de Belas Artes do Recife, no ano seguinte. A educação de adultos era examinada no âmbito das exigências nacionais de desenvolvimento. Não poderia reduzir-se a um simples trabalho de alfabetização. Teria de fundar-se na compreensão das realidades locais. Não seria um trabalho feito verticalmente, sobre ou para o homem. O trabalho educativo numa democracia seria sempre um trabalho com o homem. Aparece, já, nesse documento, a menção aos vínculos entre a educação popular, a consciência crítica, a democracia, o desenvolvimento e a construção de personalidades socialmente responsáveis, participantes na construção da vida coletiva. Mencionam-se alguns autores e instituições, notadamente Álvaro Vieira Pinto e

1970
Mudou-se para Genebra, para atuar como consultor junto ao Departamento de Educação do Conselho Mundial das Igrejas.

1971
• Concluiu a primeira versão do artigo "O Papel Educativo das Igrejas na América Latina".

• Participou da criação do Instituto de Ação Cultural (Idac) com Miguel Darcy de Oliveira, Rosiska de Oliveira, Claudius Ceccon e Marcos Arruda.

Instituto Superior de Estudos Brasileiros (Iseb), bastante significativos na organização das análises do educador. Em Educação e Atualidade Brasileira, a presença do Iseb e de alguns de seus membros é marcante: repetem-se seguidamente as interlocuções do educador com Álvaro Vieira Pinto, Guerreiro Ramos, Roland Corbusier, Helio Jaguaribe e outros autores. É forte também a percepção da presença de intelectuais católicos. O próprio Paulo Freire menciona Maritain, Gabriel Marcel, Bernanos, Alceu de Amoroso Lima, Helder Câmara e mulheres católicas da Escola de Serviço Social do Recife como personagens relevantes na formação de suas orientações. Numa outra vertente, são também importantes autores como Anísio Teixeira, Dewey, Karl Mannheim, Zevedei Barbu, Jaspers e numerosos outros intelectuais brasileiros e estrangeiros. É perfeitamente razoável dizer que Paulo Freire, nesses primeiros tempos, era um jovem de significativa afinidade com um catolicismo progressista. Defendia uma educação pelo diálogo, comprometida com a formação de homens livres voltados para a construção de uma sociedade democrática e desenvolvida. Nos anos seguintes, impulsionadas pela radicalização dos embates políticos e ideológicos, essas mesmas orientações adquirem maior especificidade.

Os círculos de cultura criados por Paulo Freire no MCP estavam nas origens de suas pesquisas voltadas para a criação do método de alfabetização. Em artigo publicado pelo educador nos meados de 1963, percebe-se que os temas sugeridos pelos participantes dos círculos de cultura para exame e discussões tinham forte conteúdo político: "[...] nacionalismo, remessa de lucros para o estrangeiro, desenvolvimento,

• Iniciou profícua sequência de viagens, correspondência, conversas, encontros e seminários com os mais diversos interlocutores (intelectuais, educadores, jovens universitários, grupos de trabalhadores imigrantes portugueses, espanhóis, turcos e africanos de diferentes procedências etc.), quase sempre provocados pelos conteúdos do livro Pedagogia do Oprimido.

1975/76
Período recoberto pelas cartas enviadas por Paulo Freire às lideranças e a educadores da Guiné-Bissau.

1977
Publicou o livro Cartas à Guiné-Bissau.

uma política para o desenvolvimento, evolução política do Brasil, analfabetismo, voto do analfabeto, socialismo, comunismo, direitismo, Sudene, democracia, ligas camponesas [...]". Certamente esses temas remetiam o diálogo entre os participantes para questões de atualidade na conjuntura política do país e, em especial, do Nordeste brasileiro. Esta imersão na tensa conjuntura política então vivida na sociedade brasileira continuou presente nas atividades da educação popular, quando os círculos de cultura foram aproveitados nas pesquisas realizadas tendo em vista a criação do método de alfabetização de adultos.

Numa apresentação esquemática e bastante resumida, o método de alfabetização, nas primeiras experiências, apresentava as seguintes características:

• A equipe de alfabetizadores levantava informações sobre os modos de vida da população local. Essas informações permitiam o conhecimento do vocabulário corrente na localidade e fundamentavam o planejamento dos trabalhos de alfabetização.

• Nesse vocabulário ("universo vocabular mínimo") selecionavam-se as denominadas palavras geradoras, em número variável nas diferentes experiências realizadas. A seleção atendia a dois critérios: riqueza fonêmica das palavras e seus conteúdos existenciais. Como exemplo, a palavra tijolo, além de possibilitar o estudo das famílias silábicas do t, do j e do l, comportava a evocação das experiências de trabalho e de vida associadas às necessidades da habitação. Em Educação como Prática da Liberdade, Paulo Freire relaciona para a escolha das palavras geradoras os critérios "a) da riqueza fonêmica, b) das dificuldades fonéticas (as palavras escolhidas devem respon-

1979
Viajou ao Brasil pela primeira vez após a busca de refúgio no Chile.

1980
Retornou, agora definitivamente, ao Brasil. Foi contratado pela PUC-SP e pela Unicamp.

1986
Recebeu o Prêmio Unesco da Educação para a Paz. Morte da esposa Elza, em 24 de outubro.

1988
Em 19 de agosto casou-se no civil com Ana Maria Araújo.

der às dificuldades fonéticas da língua) e c) o de teor pragmático da palavra, que implica uma maior pluralidade de engajamento da palavra numa dada realidade social, cultural, política etc.".

• Em seguida, procedia-se à criação das situações existenciais típicas do grupo de educandos. As situações deviam desafiar os grupos. Seriam "situações-problemas, codificadas, guardando em si elementos que serão descodificados pelos grupos, com a colaboração do coordenador".

• Procedia-se à elaboração das "fichas-roteiro", para auxiliar os coordenadores de debates.

• Finalmente, preparavam-se as fichas com a decomposição das famílias fonêmicas correspondentes às palavras geradoras.

Os trabalhos nos círculos de cultura eram iniciados pela apresentação das denominadas fichas de cultura, apresentadas em slides com cenas e figuras sugestivas das questões que deveriam ser debatidas pelos grupos. No apêndice de Educação como Prática da Liberdade são apresentadas 10 fichas. Na primeira, o diálogo entre os participantes do círculo de cultura deveria conduzir à percepção da distinção entre os mundos da natureza e da cultura. O homem seria percebido como criador e recriador de sua realidade. As fichas seguintes destinam-se a motivar o grupo à análise do diálogo entre os homens; à distinção entre o que é do mundo da natureza e o que é do mundo da cultura; à percepção das diferenças entre culturas e à ação transformadora dos homens sobre as matérias da natureza; à percepção da diversidade da criação cultural, desde os artefatos até às artes e aos valores e padrões de comportamento. Os debates deveriam conduzir à compreensão da

1989
Assumiu o cargo de Secretário de Educação do Município de São Paulo.

1991
Foi contratado como professor visitante junto à Pró-Reitoria de Graduação da Universidade de São Paulo.

1991/1997
Cumpriu intenso programa de viagens, conferências e seminários no país e no exterior. Produziu parte significativa de seus escritos e publicou numerosos trabalhos em colaboração com outros intelectuais.

1997
Faleceu em 2 de maio na cidade de São Paulo.

cultura como aquisição sistemática da existência do homem. Nas culturas letradas essa aquisição implica o domínio da sinalização gráfica. Caminha-se em seguida para o debate da democratização da cultura e para o início dos trabalhos de alfabetização.

As palavras geradoras eram em seguida apresentadas aos participantes, em cartazes ou em projeções de slides. Cada uma delas era encabeçada por uma figura evocativa da situação existencial típica que se pretendia examinar nos debates. No exemplo da palavra tijolo, antes mencionada, a figura de um pedreiro assentando tijolos poderia remeter as discussões para situações comuns na vida de operários da construção civil ou mesmo para as dificuldades enfrentadas na busca da habitação. Num outro slide apresentava-se somente a palavra tijolo. Em seguida, a mesma palavra apresentava-se agora dividida em sílabas. Depois, apresentavam-se, respectivamente, as famílias do t, do j e do l. Numa outra ficha, a da descoberta, juntavam-se as três famílias, possibilitando exercícios de composição de diferentes palavras. Finalmente, em outra ficha eram apresentadas as vogais.

A conscientização, buscada através do diálogo propiciado pelo exame das fichas de cultura e das situações existenciais típicas, e a alfabetização caminhavam juntas, durante toda a duração dos trabalhos.

O primeiro artigo de Paulo Freire sobre a criação do método intitulava-se "Conscientização e Alfabetização; uma Nova Visão do Processo". A conscientização era uma palavra de forte conteúdo simbólico, sobretudo para a juventude católica congregada nas organizações da JEC e da JUC, então bastante atuantes nos movimentos de estudantes secundaristas e universitários. Desde os primeiros momentos de sua criação, o método e os jovens que o praticaram reconheciam-se como companheiros nessa palavra plena de significados, nem sempre idênticos para todos os agentes envolvidos em sua promoção junto ao povo. Mas a prática impunha-se à diversidade das posições ideológicas presentes nesses entendimentos. As informações disponíveis sobre os trabalhos realizados nos círculos de cultura em Angicos, em Natal, em Osasco, em Brasília e nos preparativos do programa Nacional de Alfabetização apontam, inequivocamente, a direção então imprimida à conscientização. Não obstante alguns inevitáveis desvios, tratava-se de caminhar, com os jovens e adultos participantes dos trabalhos da alfabetização, na direção de um projeto de futuro então reconhecido como transformação da sociedade pelo voto. Buscava-se alterar a quantidade e a qualidade do corpo de eleitores. O voto, afirmava-se, era a arma do povo.

Depoimentos de Herbert José de Souza, o Betinho, sintetizam perfeitamente essas orientações: "O que poderia ocorrer é que para a sucessão presidencial nós poderíamos ter no processo eleitoral, já que a lei não admitia o voto do analfabeto, facilmente 5 a 6 milhões de novos eleitores. Ora, isso pesava demais na balança do poder. Era um jogo muito arriscado para a classe dominante. Não que você pudesse afirmar categoricamente que esses 6 milhões votariam na oposição. Mas era um risco".

A conjuntura da época dificultava a absorção de trabalhos dessa natureza. Após a filiação da revolução cubana ao campo do socialismo real, temia-se, interna e externamente, que o Nordeste brasileiro constituísse uma segunda Cuba. Internamente, a luta do Governo Goulart pela volta ao presidencialismo organizava-se em torno das "reformas de base", conduzidas politicamente em estreita associação com os partidos e os movimentos da esquerda. A educação popular realizada no MEB, no MCP, na Campanha De Pé no Chão, nos CPCS da UNE, no Programa Nacional de Alfabetização e em muitos outros movimentos menos significativos somava-se a outros fatores de desafio à estrutura de dominação. A reação da ordem contra essas ameaças manifestou-se de modo radical na deposição de Jango Goulart, em abril de 1964.

No Chile, Paulo Freire encontrou-se em situação contraditória, pressionado por setores da Democracia Cristã devido ao seu "esquerdismo" ou questionado por políticos e intelectuais de esquerda por suas posições ingênuas, pouco críticas e a-históricas. Algumas reações ao livro Pedagogia do Oprimido exemplificam ambas as posições: por um lado, o livro foi objeto de forte rejeição por setores do Governo que o entenderam como violenta crítica à Democracia Cristã; e por outro lado, intelectuais de esquerda entendiam-no como expressão de um pensamento ainda a-histórico, desprovido de uma clara compreensão da oposição entre as classes sociais na sociedade capitalista.

Mas algumas alterações das antigas teorias do educador podiam ser observadas já em Pedagogia do Oprimido. Neste livro, os antigos interlocutores – Dewey, Mannheim, Barbu, Gabriel Marcel, Bernanos, Jaspers, os isebianos e outros autores já enumerados – cedem lugar a

Hegel, Marx, Engels, Mao Tsé Tung, Fidel Castro, Guevara, Fromm, Sartre, Fanon, Memmi, Camilo Torres e a outros pensadores críticos e militantes revolucionários. Paulo Freire passara a movimentar-se em um novo campo teórico.

Nos últimos tempos de sua permanência no Chile e, depois, sobretudo na Europa, o educador assumiria posições bem mais radicais do que as esposadas nos momentos anteriores de sua práxis. A partir de 1970, suas reflexões e análises a respeito do papel educativo das Igrejas e da atuação dos sacerdotes já não comportavam as críticas anteriormente endereçadas à ingenuidade de suas posições. Sua afinidade com o pensamento predominante entre os religiosos da Teologia da Libertação alonga-se, nos anos seguintes, aos combatentes da libertação na África. Afinal, uma educação como prática da liberdade não poderia passar ao largo das exigências específicas de construção do homem, das economias e da vida social colocadas pela emancipação colonial. As Cartas à Guiné-Bissau impressionam pela identificação do educador com a luta dos partidos e o pensamento das lideranças anticolonialistas.

Após o retorno ao Brasil, continuou atuando politicamente como militante e fundador do Partido dos Trabalhadores. Na Secretaria de Educação do Município de São Paulo, entre outras relevantes iniciativas, como a criação do Mova e a valorização da interdisciplinaridade, sua gestão foi marcada, sobretudo, pelo esforço de aproximação da administração aos professores e ao demais agentes das escolas do ensino fundamental. Os livros publicados após 1980 demonstram que, já na maturidade, o educador continuou fiel à busca de respostas para as questões fundamentais que viera colocando ao processo educativo, em diferentes conjunturas, desde as origens de suas investigações, no Sesi de Pernambuco e no Movimento de Cultura Popular do Recife.

O PESQUISADOR

O crescente aumento de complexidade no campo da pesquisa nas ciências, nas artes e na educação e a legião de agentes envolvidos nos estudos e na formação de novos pesquisadores tornaram inevitável a busca de institucionalização de procedimentos, com vistas ao controle da validade e à relativa garantia de qualidade dos resultados obtidos em uma imensa massa de investigações. Essa evolução dos trabalhos também inevitavelmente produz crescente burocratização dos procedimentos. Identifica-se, hoje, um bom pesquisador, por um conjunto bem definido de indicadores: registro e classificação em organismos como o CNPq e fundações públicas de apoio à pesquisa, bolsas ou auxílios financeiros em agências financiadoras, proposição de projetos de investigação com objetivos, justificativas, estado da arte das questões investigadas, procedimentos de coleta de informações, metodologia, cronograma dos trabalhos etc. Muitos dentre os grandes pesquisadores do passado dificilmente responderiam adequadamente a esse padrão de identificação.

Paulo Freire corresponde melhor à imagem do pesquisador clássico. Isto é, à figura daqueles intelectuais e cientistas que conseguiram formular algumas perguntas efetivamente significativas, e que depois dedicaram grande parte da existência à busca de respostas adequadas aos desafios então colocados. Sob esta definição, as pesquisas do educador começaram cedo, já nas atividades que realizava no Sesi de Pernambuco. Em livros e entrevistas que recobrem os trabalhos então realizados, o educador relata suas reflexões sobre as dificuldades de comunicação com as famílias dos trabalhadores e aponta a necessidade de investigar formas mais adequadas de interação com eles. São notáveis e de grande atualidade também suas observações sobre o assistencialismo. Embora atuasse numa instituição com atribuições assistenciais junto aos trabalhadores da indústria, o educador rejeitava o assistencialismo, por entendê-lo contrário às possibilidades de emancipação dos assistidos. Depois, já no MCP do Recife, suas pesquisas começam a encaminhar-se em direção à educação pelo diálogo, pela reflexão crítica dos homens do povo sobre as suas condições de existência. A busca de uma educação conscientizadora e a criação do método de conscientização e alfabetização de adultos resultam de leituras, reflexões e investigações longamente amadurecidas. Nesse demorado e trabalhoso percurso, as questões então formuladas pelo educador sobre o processo educativo obviamente não surgiram, em um dado momento, prontas e acabadas. Foram sendo amadurecidas no decorrer do processo. Nos primeiros anos da década de 1960, até a busca de refúgio no final de 1964, algumas questões centrais na pesquisa do educador estavam claramente delineadas: como seria uma educação comprometida com a construção de personalidades democráticas, e que mais do que uma pregação sobre a democracia fosse em todas as suas atividades um exercício da democracia? Quais as características de uma educação que no seu próprio fluir constituísse um exercício de reflexão crítica sobre as determinações da existência popular? E como seria uma educação que no seu desenvolvimento já se afigurasse como prática da liberdade? Por que o diálogo entre todos os agentes do processo educativo era um instrumento essencial na educação emancipadora, democratizante, conscientizadora e libertadora? Todas essas questões, além de outras, ocupam as preocupações do educador ao longo de seus trabalhos, sob diferentes perspectivas teóricas e em diferentes conjunturas. Em seus escritos, Paulo Freire deixou um rico acervo de reflexões sobre o encaminhamento de respostas a todas essas questões. Um de seus legados mais expressivos à pesquisa educacional sem dúvida alguma está no estímulo à continuidade dessas investigações inevitavelmente inconclusas.

Biografia Intelectual

INTERLOCUTOR CONSTANTE

Por Celso de Rui Beisiegel

Em sua trajetória, Paulo Freire dialogou com pensadores dos mais diversos matizes

É difícil identificar influências na formação de Paulo Freire ao longo de sua atividade na educação. Os numerosos autores presentes em seus livros e entrevistas são mais propriamente interlocutores, ajudam-no a definir e calibrar as próprias orientações. Mas é possível identificar correntes de pensamento ou blocos de autores mais significativos na construção dessas orientações. Nos primeiros tempos de sua formação, na educação, Anísio Teixeira e John Dewey; no pensamento cristão, Jacques Maritain, Alceu de Amoroso Lima, Hélder Câmara, mulheres católicas da Escola de Serviço Social da Universidade do Recife; Álvaro Vieira Pinto e outros intelectuais reunidos no Iseb; Karl Mannheim e Zevedei Barbu, importantes na elaboração da temática do diálogo, da participação e da formação da personalidade democrática. Depois de 1964, intelectuais marxistas com os quais passou a conviver em Santiago do Chile. As ideias e propostas de Paulo Freire tiveram forte impacto em diversos campos de atividade. Na educação de jovens e adultos, são marcantes a profundidade e a extensão de sua influência. Encontram-se estudiosos e seguidores do educador em universidades e associações no Brasil e em diferentes países, especialmente na Europa e nos Estados Unidos.

Anísio Teixeira (1900-1971)
Bacharel em Direito pela Universidade do Rio de Janeiro, em 1922, e Master of Arts pelo Teachers College da Columbia University, em 1929. Estudioso, defensor e divulgador das ideias de John Dewey, Anísio teve intensa e profícua participação nas discussões e na administração da educação escolar no Brasil.

Hélder Câmara (1909-1999)
Em 1931 ordenou-se padre no Seminário Arquidiocesano de Fortaleza. Teve uma vida marcada por intensa militância religiosa e política. Participou da reestruturação da Ação Católica Brasileira, participou da fundação da Conferência Nacional dos Bispos do Brasil, exerceu considerável influência na atuação da hierarquia e do laicato católicos.

← Influenciou Freire

→ Influenciados por Freire

Álvaro Vieira Pinto (1909-1987)
Formado em medicina, dedicou-se ao ensino de História da Filosofia. Dirigiu o Departamento de Filosofia do Instituto Superior de Estudos Brasileiros (Iseb) desde a fundação do órgão, em 1955. Suas reflexões sobre as modalidades da consciência e, especialmente, sobre a ideologia do desenvolvimento nacional e a posição da educação na disseminação dessa ideologia encontraram forte repercussão nos primeiros ensaios teóricos de Paulo Freire.

Moacir Gadotti (1941)
Conviveu com Paulo Freire em Genebra. Em 1980, teve importante participação no processo de contratação do educador pela Unicamp. Liderou a criação do Instituto Paulo Freire, que vem dirigindo desde a década de 1990. Com Paulo Freire, participou da administração da Secretaria de Educação do Município de São Paulo na gestão Luiza Erundina.

Carlos Alberto Torres (1950)
Diretor do Latin American Center da Universidade da Califórnia e diretor do Instituto Paulo Freire, estudou e acompanhou as atividades do educador na América Latina, na Europa e na África.

Ana Maria Saul (1945)
Participou ativamente nas atividades de Paulo Freire na Secretaria de Educação do Município de São Paulo e na PUC-SP. Tem importantes reflexões sobre a obra do educador.

José Carlos Barreto e Vera Barreto
Representam exemplarmente a presença do universitário católico na práxis do educador. Participaram dos trabalhos de alfabetização de adultos desde os primeiros momentos da criação do método de Paulo Freire. Após o retorno de Freire ao Brasil, propuseram e criaram junto com ele o Veredas, que tem importantes contribuições na promoção da educação popular no país.

Karl Mannheim (1893-1947)
Análises do sociólogo, especialmente nos livros Diagnóstico do Nosso Tempo e Liberdade, Poder e Planificação Democrática, foram relevantes nas elaborações de Freire sobre o diálogo e a construção da personalidade democrática.

Principais teses

TESES CENTRAIS DA PEDAGOGIA FREIREANA

por Danilo Romeu Streck e Jaime José Zitkoski

A educação é um ato essencialmente político. Marca posição no mundo ante as realidades sócio-históricas já constituídas e, por isso, demanda novas ações, de intervenção, rupturas e de transformação social

O pensamento de Paulo Freire é fecundo e, por isso, pode ser inspirador para hoje refletirmos sobre os processos educativos e, num sentido mais amplo, sobre a totalidade da vida em sociedade. A partir das ideias de Paulo Freire, bem como de propostas e projetos de educação que testemunham uma pedagogia freireana, é possível conceber e praticar uma educação que contemple formas alternativas de produzir e organizar socialmente a existência humana no mundo.

Freire foi um pensador da educação que assumiu uma posição radicalmente comprometida com a realização de um humanismo libertador, dialógico, criativo e, acima de tudo, ético, que somente poderá ser construído a partir de uma síntese integradora da multiplicidade dos povos em suas existencialidades concretas. Essa síntese entre diferentes culturas, racionalidades, processos históricos e formas de vida que coexistem em um mundo cada vez mais complexo é a alternativa para a superação concreta das práticas sociais opressoras, bem como das estruturas e sistemas de dominação do homem pelo homem. Essa é uma exigência histórica e, portanto, política e ética para que a humanidade efetive sua autêntica vocação de humanização do mundo.

A seguir, buscaremos explicitar, segundo nossa leitura, as principais teses que entendemos ser relevantes para a compreensão do legado freireano. Ressaltamos, contudo, não termos a pretensão de uma síntese completa, pois isso seria impossível num texto dessa natureza e, igualmente, pela complexidade e amplitude da obra do autor. Entendemos as teses como chaves de leitura sobre a temática em discussão.

TESE 1: EDUCAÇÃO É SINÔNIMO DE HUMANIZAÇÃO

Pensar a educação é pensar sobre a vida humana, em seu sentido histórico e nos porquês de nossa luta diária para construir um futuro. Tal reflexão implica voltar nosso olhar sobre o processo de humanização que está diretamente imbricado nas relações que estabelecemos com os outros (o contexto social), com o mundo (as coisas) e com a natureza (as condições para a criação da existência).

Nessa perspectiva, Freire parte da concepção de existência humana como busca de ser mais. Ou seja, somos seres incompletos que viemos nos vocacionando historicamente para a humanização. Segundo ele, nós, seres humanos, somos seres inacabados que, conscientes de nossa inconclusão, buscamos ser mais, humanizar-nos e, no entanto, nos deparamos com os condicionantes históricos que nos limitam. Mas, para Paulo Freire, as situações limites não se constituem em destino dado ou fatalidades da história. Muito pelo contrário, a história constitui-se em processos humanos a partir dos quais se dão as possibilidades para nos fazermos mais humanos, afirmando-nos como sujeitos capazes de intervir no mundo.

A concepção de educação enquanto humanização em Freire implica entender a dialeticidade entre subjetividade e objetividade; ser humano e realidades socioculturais; consciência e mundo. Trata-se de um processo em construção a partir do qual a natureza humana vai se autoconstituindo ao construir um mundo humano. Considerando essa dialética central, Freire afirma na Pedagogia da Esperança que não é possível "entender os homens e as mulheres, a não ser mais do que simplesmente vivendo histórica, cultural e socialmente existindo, como seres fazedores de seu 'caminho' que, ao fazê-lo, se expõem ou se entregam ao 'caminho' que estão fazendo e que assim os refaz também".

Então, a natureza humana não é simplesmente o inato nem somente o adquirido, mas a interação permanente entre ambos. O processo histórico e sociocultural da existência humana consiste na permanente articulação entre dimensão inata da vida humana (que compreende as estruturas hereditárias, os genes ou as potencialidades constitutivas de cada indivíduo) e o processo de aprendizagem, que vai ocorrendo através da experiência histórica.

Há, portanto, uma grande diferença entre a espécie humana e as demais espécies animais. O ser humano é um ser de relações que transcende a si próprio por estar, constantemente, superando a si mesmo e exteriorizando seu ser a partir das relações que estabelece. Como tal, é um ser inacabado, que está em constante processo de construção de si mesmo, considerado individualmente ou em termos de espécie. Mas, o mais importante, é um ser que se sabe inacabado, que toma consciência de sua inconclusão e, por isso mesmo, busca a razão de ser de sua própria existência. Pois, é por estarmos em constante busca de transcendência em relação a nós mesmos que nos encontramos sempre projetando o futuro a partir do lugar e do tempo em que nos encontramos historicamente situados.

O que nos impulsiona para o ser mais, ou para a busca de realização de nosso "ser no mundo", é a nossa capacidade de tomar consciência de nós mesmos e do mundo que nos constitui. Ou seja, segundo Freire, é por saber-se inconcluso e inacabado que o ser humano luta para superar sua atual condição. Esse movimento o impulsiona constantemente para o futuro, em busca de novos sentidos para a existência e/ou da autenticidade de seu próprio sentido vital.

Por estas razões acima apontadas, o papel da educação segundo Freire é o de contribuir para que cada sujeito envolvido no processo educativo possa realizar seu ser mais, humanizando a si e ao mundo que o cerca. Isso implica a prática que, primeiramente, devemos apostar, de forma crítica e esperançosa, em todo e qualquer ser humano, pois todos têm potencial de crescer, não só intelectualmente, mas também enquanto totalidade de nosso ser mais.

TESE 2:
A EDUCAÇÃO IMPLICA A ÉTICA

Logo nas primeiras linhas da Pedagogia da Autonomia, Freire alerta para a relação intrínseca entre ética e educação: "Gostaria de sublinhar a nós mesmos, professores e professoras, a nossa responsabilidade ética no exercício de nossa tarefa docente [...]. Este pequeno livro se encontra cortado, ou permeado em sua totalidade, pelo sentido da necessária eticidade que conota expressivamente a natureza da prática educativa, enquanto prática formadora. Educadores e educandos não podemos, na verdade, escapar à rigorosidade ética".

Contudo, já nas primeiras páginas desse mesmo livro Freire argumenta em defesa de uma ética universal do ser humano, que é intrínseca à sua própria natureza – gestando-se na história. Portanto, a denúncia dirigida por Freire aos sistemas político-econômicos e sociais que impõem a desumanização a milhões de seres humanos tem, acima de tudo, a preocupação ética com a defesa da vida humana digna para todos. As críticas à globalização econômica (de cunho neoliberal) procuram mostrar sua perversidade humana na transgressão ética, que jamais deve ser aceita na história. Entretanto, diante da realidade social de transgressão à ética humana, Freire insiste na necessária intervenção prática no mundo para transformá-lo e, nessa direção, desde a origem da nossa ação transformadora, impõe-se a coerência ético-política no cultivo do diálogo verdadeiro – que requer condições reais para efetivamente realizarmos novas práticas culturais.

A concepção da ética universal em Freire está diretamente relacionada com a sua visão de natureza humana. A sua interpretação radicalmente dialética sobre a vida humana que, enquanto presença no mundo, vai se gestando na história, a partir da intervenção nas realidades constitutivas do próprio mundo, é o fundamento para conceber uma ética universal do ser humano. A busca de humanização do mundo, que faz da natureza humana uma constante busca do ser mais, revela em nós, seres em construção, uma existência radicalmente ética. Nesses termos, Freire defende na Pedagogia da Autonomia a universalidade da ética humana: "Quando falo, porém, da ética universal do ser humano estou falando da ética enquanto marca da natureza humana, enquanto algo absolutamente indispensável à convivência humana. Ao fazê-lo estou advertido das possíveis críticas que, infiéis ao meu pensamento, me apontarão como ingênuo e idealista. Na verdade falo da ética universal do ser humano da mesma forma como falo de sua vocação ontológica para o ser mais, como de sua natureza constituindo-se social e historicamente".

O ser humano não só está no mundo, pois não é um ser passivo, totalmente adequado a ele. Ao contrário, é um ser de escolhas, de decisão e, por isso mesmo, se tornou uma presença no mundo que tem um modo especial de ser. Ou seja, a autenticidade da existência humana está diretamente relacionada ao fato de que, enquanto presença no mundo, o ser humano não só está no mundo, mas intervém nele, transforma-o, toma decisões, rompe com o já feito, avalia, constata e também sonha com um mundo diferente. "É no domínio da decisão, da avaliação, da liberdade, da ruptura, da opção, que se instaura a necessidade da ética e se impõe a responsabilidade. A ética se torna inevitável e sua transgressão possível é um desvalor, jamais uma virtude", afirma ele na mesma obra.

Uma vez que a natureza humana não está pronta (porque não é um *a priori* da história), nós, seres humanos, estamos em constante busca para realizar nossa vocação ontológica do ser mais e nos tornarmos mais gente, o que implica, da mesma forma, gentificar (humanizar) o mundo. No entanto, essa busca de humanização de nós mesmos e do mundo, que é uma marca da natureza humana, segundo Freire, não significa que a humanização seja de fato algo absolutamente certo e automaticamente realizável na história.

A negação do ser mais enquanto vocação ontológica do ser humano também é possível, tanto que é um fato concreto na história. Esse fato demonstra que, enquanto seres da busca, nos encontramos sempre imperfeitos, inconclusos e condicionados por situações limites que atrofiam nosso próprio ser. Ou seja, em um mundo que desumaniza e atrofia a realização do ser mais não é somente o mundo que se torna desumano, mas as pessoas concretamente são atrofiadas e desumanizadas negando, assim, sua própria natureza.

Diante dessa realidade acima denunciada, da desumanização e situações limites que atrofiam o ser de milhões de pessoas no mundo, Freire concebe que hoje precisamos, mais do que nunca, de uma educação da esperança, fundada numa ética humanista e da solidariedade, para não cairmos em fatalismos e/ou sectarismos que nos condenariam à aceitação passiva de tudo o que aí está.

TESE 3:
TODA EDUCAÇÃO É POLÍTICA

Para Freire, a educação é um ato essencialmente político, que marca posição no mundo, diante das realidades sócio-históricas já constituídas e que, por isso mesmo, demanda novas ações, de intervenção, rupturas e de transformação social.

A política dá sentido à utopia de construção da nova sociedade livre, solidária e aberta a todos. Esse projeto requer uma pedagogia da luta política que deve ser elaborada no processo da luta libertadora que os oprimidos precisam travar historicamente para superar os diferentes contextos e estruturas sociais de opressão que os desumaniza. Por essa razão, não deve haver receitas prontas e previsões de como se desencadeará o processo político libertador, mas há a exigência radical do cultivo da dialogicidade (entre líderes-povo, intelectuais-classes populares) para que, juntos e de modo criativo, possam superar as práticas que reproduzem a opressão social por uma nova cultura autenticamente humanizadora.

Nessa perspectiva, a postura radicalmente democrática requer, acima de tudo, a superação política do status de democracia formal que, na maioria dos países que hoje a seguem, apenas assegura direitos na lei, sem garantir a concretude desses direitos a grande parte de seus cidadãos. Portanto, a luta política dos oprimidos deve ser solidária e para que as diferentes lutas de cada setor da sociedade se convertam em uma articulação de um movimento comum a todos rumo à transformação da sociedade faz-se necessária uma leitura crítica e problematizadora da realidade dos diferentes momentos do embate prático que incide contra as estruturas sociais opressoras.

Não há garantia, segundo Freire, de que, uma vez as classes populares conquistando o poder político, consigam manter, no futuro, o controle desse poder. A luta política não pode ser concebida de modo linear porque, se assim for, as práticas políticas se tornam sectárias e a utopia já não terá mais espaço para florescer e tornar-se, efetivamente, uma alternativa à política opressora. Diante do permanente jogo de forças do processo político historicamente inaugurado – que produz o embate prático entre elite e classes populares, manutenção dos interesses das classes dominantes, ou democratização do acesso prático aos direitos de todos – surgirão sempre novos contextos que exigirão novos embates. Em outras palavras, o que está em jogo é a permanente luta de classes que jamais se exauriu na história humana até hoje vivenciada. Em Pedagogia da Esperança, Freire diz que "[...] a luta é uma categoria histórica e social. Tem, portanto, historicidade. Muda de tempo-espaço. A luta não nega a possibilidade de acordos, de acertos entre as partes antagônicas [...]. Há momentos históricos em que a sobrevivência do todo social, que interessa às classes sociais, lhes coloca a necessidade de se entenderem, o que não significa estarmos vivendo um novo tempo, vazio de classes e conflitos".

Além de pedagogia da política, construtora do caminho que os oprimidos (classes populares) devem trilhar para a construção histórica de uma alternativa aos sistemas opressores, Freire aponta para a necessária união dos diferentes na luta contra os antagônicos. Essa precisa ser uma estratégia fundamental da luta política de libertação, da vivência cultural dos oprimidos. Pois, sem essa estratégia, não é possível avançar na construção de uma alternativa à hegemonia do poder opressor, que reproduz as estruturas sociais dominantes.

Entretanto, é fundamental conceber que a luta pela "conquista do poder" não pode ser interpretada como a realização da utopia libertadora. Ao contrário, o desafio lançado às classes hoje oprimidas tem a ver com a própria reinvenção do poder para que não se alimente a ilusão de se estar construindo um novo projeto de sociedade, que implica novas relações sociais, transformações culturais, recriação de valores e, sobretudo, a vivência radicalmente democrática do diálogo crítico e construtivo, e na prática ocorrer a reprodução das relações opressoras tal como a elite dominante historicamente vem reproduzindo.

Em outras palavras, a tese de que "toda educação é política" vem acompanhada da tese de que toda política é pedagógica. A aprendizagem da cidadania não pode ser reservada às salas de aula, mas resulta de um compromisso pedagógico de todos os setores da sociedade que, ao participar, debater e decidir, aprendem e ensinam. Ao ver a educação como um ato político, ela é colocada como um elemento fundamental para transformação da sociedade e para a construção de inéditos viáveis.

TESE 4:
A PEDAGOGIA DA LIBERTAÇÃO É UMA OBRA COLETIVA

A utopia política de libertação dos oprimidos, que historicamente têm sofrido as consequências das práticas políticas alienantes promovidas pela elite dominante, é o ponto de partida para fundamentar um novo projeto de sociedade enquanto superação da atual realidade sociocultural.

É dos oprimidos, segundo Freire, que pode vir a libertação. Pois, dos seres humanos que estão à margem das estruturas fundantes do sistema social opressor é que se pode esperar a alternativa e/ou o novo na história. Ou seja, os oprimidos não têm compromisso político com o sistema vigente que os oprime e, dessa forma, quanto mais clareza política vão conquistando do processo histórico-dialético de construção das realidades sociais, mais fortemente defenderão a utopia de uma nova sociedade a ser construída desde o embate prático no momento presente.

Para além da desumanização que sofrem diariamente em sua própria pele (a exemplo das condições sociais humilhantes que machucam seus corpos conscientes, envelhecendo-os mais cedo, impondo-lhes carências nas necessidades básicas, ou limitando-os a uma vida literalmente vegetativa) os oprimidos, no íntimo de seu ser, aspiram construir novos modos de existência em sociedade. A realidade socialmente construída, que os limita e atrofia enquanto ser mais, jamais significará o horizonte possível da existência de milhões de seres humanos em todo o mundo.

Diante dessa realidade acima descrita, por mais ingênua que seja a percepção (visão de mundo) de um ser humano, há a tomada de consciência de que a sua condição social é de opressão e desumanização. Esse fato concreto na história humana é o impulso fundante da utopia em uma nova sociedade mais humana e digna para todos. A utopia e esperança de libertação diante das diferentes formas de opressão: econômica, política, cultural, religiosa, sexual, pedagógica etc. é que se torna o horizonte comum entre diferentes grupos sociais e povos do mundo todo.

Nesses termos, Freire defende que a pedagogia do oprimido é uma obra coletiva, solidária e exige a humildade dos líderes políticos. Enquanto processo político, essa obra "tem de ser forjada com ele e não para ele, enquanto homens ou povos, na luta incessante de recuperação de sua humanidade. Pedagogia que faça da opressão e de suas causas o objeto da reflexão dos oprimidos, de que resultará o seu engajamento necessário na luta por sua libertação, em que esta pedagogia se fará e refará", defende ele em Pedagogia do Oprimido.

Então, a construção dessa pedagogia libertadora a partir dos próprios oprimidos implica conceber uma obra sempre incompleta, aberta ao futuro, que se reelaborará no processo intersubjetivo e dialógico de sua própria elaboração. Esse é um forte argumento defendido por Freire sobre a possibilidade e condição histórica da utopia política de libertação. Freire entende, nesse sentido, que a intervenção prática no mundo como busca de transformação dele não pode ser entendida como uma ação de indivíduos apenas, mas da práxis coletiva, solidária, dialógica e problematizadora da realidade.

Eis o desafio histórico da luta política dos oprimidos que se impõe enquanto concretização da utopia de um projeto de sociedade sem opressores e sem oprimidos, como escreve na Pedagogia do Oprimido: "Como distorção do ser mais, o ser humano leva os oprimidos, cedo ou tarde, a lutar contra quem os fez menos. E esta luta somente tem sentido quando os oprimidos, ao buscarem recuperar sua humanidade, que é uma forma de criá-la, não se sentem idealistamente opressores, nem se tornem, de fato, opressores dos opressores, mas restauradores da humanidade de ambos. Eis aí a grande tarefa humanista e histórica dos oprimidos – libertar-se a si e aos opressores".

Mas quais são as bases concretas para a realização histórica dessa utopia político-social? É algo que pode ser concretizado na história ou é apenas um sonho idealista de visionários descolados da realidade? E se é realizável historicamente, por que ainda não foi concretizada pelas classes populares na América Latina, que há décadas começaram a se articular nessa direção?

São questões desafiadoras, tanto quanto é o desafio da própria utopia dos oprimidos efetivarem sua autêntica história, enquanto sujeitos da transformação do mundo. Entretanto, uma leitura mais atenta de Freire nos remete para a convergência de suas teses acima elencadas na perspectiva de uma práxis social transformadora.

TESE 5:
EDUCAÇÃO É PRÁXIS SOCIAL TRANSFORMADORA

Não tem sentido, segundo Freire, uma educação abstrata, desenraizada da realidade social do educando. Ou seja, só podemos falar em educação verdadeira e autêntica no processo educativo se buscarmos articular dialeticamente ação-reflexão-nova ação social. Nessa direção é que Freire concebe a não neutralidade política da educação.

Um primeiro fundamento, que Freire nos oferece sobre a possibilidade concreta de realização dessa utopia política a partir da luta dos oprimidos e dos que se solidarizam verdadeiramente com eles, é que o ser humano é o ser da práxis, da luta e da ação no mundo. Ou seja, a intervenção no mundo é o modo essencialmente humano de existir e, por essa razão, o mundo jamais estará em plena elaboração de si mesmo. Portanto, as realidades sociais, culturais e políticas constitutivas de nosso mundo histórico são construções humanas que sempre estarão passíveis de sofrer transformações, tanto em níveis lentos e gradativos quanto em níveis de rupturas mais profundas na estrutura fundante, que nelas produzem transformações radicais.

Outro argumento forte que Freire tem defendido, desde suas primeiras obras e reafirmou na Pedagogia da Autonomia, é o de que somente os oprimidos representam a utopia e a esperança da libertação humana na história: "Este ensinamento e este aprendizado têm de partir, porém, dos 'condenados da terra', dos oprimidos, dos esfarrapados do mundo e dos que com eles realmente se solidarizam [...]. Quem, melhor que os oprimidos, se encontrará preparado para entender o significado terrível de uma sociedade opressora? Quem sentirá, melhor que eles, os efeitos da opressão? Quem, mais que eles, para ir compreendendo a necessidade de libertação?".

A justificativa dessa tese encontra-se na análise das contradições existenciais em que os oprimidos vivem, sofrendo no cotidiano a opressão concreta de seu ser que os desumaniza. A própria realidade faz com que eles aspirem a uma vida mais digna, livre e de realização de seu ser mais. Tais contradições impulsionam a tomada de consciência (mesmo que ainda de modo ingênuo) dos oprimidos das reais condições de opressão em que vivem. Mas a tomada de consciência não basta, e esse primeiro nível de consciência das contradições deve aprofundar-se em níveis problematizadores da realidade rumo à práxis transformadora das estruturas sociais que os oprimem.

Freire insiste na importância da politicidade da educação ao defender a necessária emersão da consciência do oprimido – que implica a superação de si mesmo enquanto hospedeiro da opressão, por alimentar o medo da liberdade que o leva a acomodar-se, ou conformar-se com a realidade – para que o processo utópico-libertador se torne efetivamente possível. Contudo, tal processo de construção da pedagogia libertadora não ocorre espontaneamente, mas exige um trabalho intencional (planejado) de criticização da consciência a partir do constante desafio que tensiona ação-reflexão-nova ação.

Esse é o papel de uma pedagogia libertadora – a pedagogia do oprimido – que deve ser desencadeada por autênticos líderes (que surgem do povo e com ele se comprometem) enquanto verdadeiros pedagogos junto com as classes populares. A elaboração dessa pedagogia deve ser impulsionada pelo constante processo dialógico-crítico-participativo e esperançoso para que todos possam compreender as razões dos fatos que constituem a realidade e, assim, se engajar, de forma consciente, na luta de transformação da realidade que implica estratégias e táticas concretas de intervenção no mundo historicamente construído.

TESE 6: A CONSTRUÇÃO DA AUTONOMIA É UM PROCESSO INTERSUBJETIVO

Pedagogia da Autonomia é o título do último livro de Paulo Freire. Pode parecer estranho que Freire opte por este título num período em que discursos sobre o fim da história, do sujeito e das utopias tomavam corpo entre grande parte dos acadêmicos e que se verificava na prática um enfraquecimento dos movimentos sociais e dos embates políticos. É nesse contexto que Paulo Freire reafirma algumas de suas principais ideias pedagógicas, traduzidas para dentro dos novos desafios postos para a sociedade.

O livro pode ser visto como uma tentativa de síntese de uma vasta obra e nesse sentido o conceito de autonomia de certa forma recupera a trajetória de sua ação pedagógica. O "aprender a dizer a sua palavra", título do artigo introdutório de Ernani Maria Fiori na Pedagogia do Oprimido, é uma das marcas mais importantes da pedagogia de Paulo Freire. O constituir-se como sujeito passa por dizer a palavra autêntica, a palavra grávida de mundo, a palavra geradora, enfim, a palavra que revela o sujeito em construção. Paulo Freire descobriu em seu trabalho que a capacidade de articular e expressar suas ideias já é, em si, um processo de emancipação. O letramento significa a aquisição de um novo instrumental e a possibilidade de ampliar o diálogo.

Autonomia, no entanto, não significa para Freire a afirmação do individualismo, uma das características da vida atual. O ser humano é, antes de tudo, um ser de relações e é impossível conceber a sua vida fora dessas relações, que, por um lado, o condicionam, mas por outro significam a própria possibilidade de humanização. Se ninguém se torna gente sozinho, segue-se também – como ele afirma na conhecida frase de Pedagogia do Oprimido – que "já agora ninguém educa ninguém, como também ninguém se educa a si mesmo: os homens se educam em comunhão, mediatizados pelo mundo".

Há na perspectiva de Freire uma ruptura com o sujeito pedagógico moderno que tem como protótipo o Emílio, de Jean-Jacques Rousseau. Diferente do educando de Freire, que está imerso nas contradições da sociedade, o educando de Rousseau é um menino abstrato, criado pela imaginação do autor-educador, como tipo ideal para viver na nova sociedade do contrato social. Este mesmo contrato, como sabemos, desde o princípio excluiu as mulheres (veja-se a educação discriminatória de Sofia, no mesmo livro), os negros (enquanto se forjava o contrato social os navios negreiros cruzavam os mares com escravos para as plantações do Novo Mundo), os índios (tratados como não gente) e outros que não se enquadravam no padrão europeu.

A autonomia a que Freire se refere é construída na intersubjetividade, o que implica a compreensão de que a superação das situações limites, enquanto produções históricas, só poderá ser conseguida através de processos coletivos. Decorre disso também uma visão de sujeito não como uma entidade fixa e predefinida, mas como uma força que se forma no processo de transformação da sociedade.

Nesse sentido, Paulo Freire pode ser entendido como um pensador de transição entre a modernidade e o que se costuma chamar de pós-modernidade. Ele não abandona as conquistas da modernidade ou nega o potencial emancipatório de muitas de suas lutas, mas ao mesmo tempo é capaz de perceber os seus limites. Isso fica claro quando ele afirma, em Pedagogia da Esperança, por exemplo, que se deve ser "pós-modernamente progressista", ou seja, os tempos diferentes exigem que se reconheça que as lutas e as formas de lutar podem ser outras.

TESE 7:
A CONSCIENTIZAÇÃO É UM PROCESSO MULTIDIMENSIONAL

O pensamento de Paulo Freire está associado ao conceito de conscientização, mesmo que durante muito tempo ele tenha deixado de usá-lo. É significativo que no mesmo livro no qual a autonomia é destacada no título, Paulo Freire retoma o conceito e reafirma a sua importância. Em suas palavras: "Nos anos 60, preocupado já com esses obstáculos, apelei para a conscientização não como panaceia, mas como um esforço de conhecimento crítico dos obstáculos, vale dizer, de suas razões de ser. Contra toda a força do discurso fatalista neoliberal, pragmático e reacionário, insisto hoje, sem desvios idealistas, na necessidade da conscientização. Na verdade, enquanto aprofundamento da *'prise de conscience'* do mundo, dos fatos, dos acontecimentos, a conscientização é exigência humana, é um dos caminhos para a [...] prática da curiosidade epistemológica. Em lugar de estranha, a conscientização é natural ao ser que, inacabado, se sabe inacabado".

Freire segue afirmando que a questão substantiva da conscientização não é o inacabamento do ser humano, mas o fato de a inconclusão poder reconhecer-se como tal. É isso que diferencia homens e mulheres, como seres histórico-sócio-culturais, de plantas e animais. As pessoas não existem fora da história, sendo por ela condicionadas – não determinadas – ao mesmo tempo que podem assumir-se como sujeitos criadores da história. Um sintoma da opressão é a submersão das pessoas na cultura do silêncio, fazendo que estejam impossibilitadas de dizer a sua palavra. Esta palavra, quando verdadeira, é pronunciada no contexto da práxis, ou seja, da ação reflexiva sobre e no mundo. Do outro lado, a palavra que não gera o diálogo engajado e transformador é denunciada com adjetivos como inautêntica, oca, vazia, mágica e ingênua.

A conscientização, para Freire, é um processo que implica várias dimensões. Já destacamos anteriormente (ver Tese 2) a dimensão política. A prática supostamente neutra pode ser defendida por dois tipos de pessoas: as ingênuas, que não despertaram para o fato de a história não estar predeterminada e que suas vidas não se movem de forma fatalista dentro de um destino; e as astutas, que com sua esperteza justificavam seus privilégios, escondendo-os sob o manto de mitos: de que a ordem social existente é vontade de Deus, de que poderia ser muito pior, de que pobre é preguiçoso, entre muitos outros.

A conscientização sustenta-se também sobre uma sólida base ética (ver Tese 1). Freire se assume como um pensador utópico, no sentido de crer que a conscientização tem um papel importante para produzir uma outra realidade. Utopia é para ele a dialetização dos atos de denúncia e de anúncio: denúncia dos fatores que se opõem à humanização e o anúncio de novas possibilidades. Ou seja, a conscientização significa não apenas ter conhecimento da realidade que oprime, mas também tomar consciência de que é possível um processo de libertação na medida em que houver um engajamento concreto para a transformação dessa realidade. Como este processo se realiza dentro das contradições da história, a nova realidade não surgirá do nada, de um momento ao outro. Daí Freire cunhar as expressões inédito viável e sonho possível para expressar, ao mesmo tempo, que ninguém cria outro mundo como num toque de mágica, mas que este mundo desejado também nunca acontecerá se não houver um primeiro passo hoje e um segundo amanhã para sua construção. A espera com esperança é uma espera ativa e propositiva.

CURIOSIDADE EPISTEMOLÓGICA

Outra dimensão da conscientização é a epistemológica. Considerando que a educação é, segundo ele, uma teoria do conhecimento posta em prática, o legado do educador e da educadora para seus educandos será antes de tudo a atitude que cultivam diante do conhecimento. A conscientização passa por promover o que Freire chama de curiosidade epistemológica, como o aprofundamento da curiosidade natural com a qual cada ser humano vem ao mundo. E esta não é transferível na forma de conteúdo, mas precisa ser testemunhada no diálogo.

O processo de conhecimento não é um exercício abstrato e distanciado das condições reais da existência. Sendo a própria consciência sempre consciência de alguma situação ou realidade específica, não existe um ensino no vazio. Ao mesmo tempo, a visão de conhecimento de Freire também é crítica em relação a uma concepção utilitarista estreita, segundo a qual o único conhecimento que tem valor é aquele capaz de alguma aplicação imediata. Se o equívoco da primeira está em cultivar a curiosidade como uma virtude em si, a segunda tolhe as possibilidades de o educando situar-se como sujeito histórico: "É neste sentido, entre outros, que a pedagogia radical jamais pode fazer nenhuma concessão às artimanhas do 'pragmatismo' neoliberal que reduz a prática educativa ao treinamento técnico-científico dos educandos. Ao treinamento e não à formação. A necessária formação técnico-científica dos educandos por que se bate a pedagogia crítica não tem nada que ver com a estreiteza tecnicista e cientificista que caracteriza o mero treinamento".

Conhecer está relacionado com a práxis transformadora dos seres humanos sobre o mundo no qual vivem. A conscientização, sendo um aprofundamento da tomada de consciência em direção uma crescente criticidade, não pode ser concebida à parte da práxis. Paulo Freire argumenta, desde os seus primeiros escritos, que uma prova do pensar certo está em pensar a própria prática, submetendo-a sempre a novos juízos. É o confronto com a prática, com suas contradições e complexidades, que introduz a dúvida e abre espaço para novas perguntas. A burocratização da consciência pode afetar tanto o pensamento da esquerda quanto da direita do espectro político. No caso da esquerda, com a qual Paulo Freire se identifica, significa nada menos do que o estancamento do processo revolucionário.

Por tudo isso, a conscientização é também um processo doloroso de parto. Não haveria, nesse caso, paliativos como os exercícios ou medicamentos para as mulheres que entram em trabalho de parto. Freire usa a metáfora da Páscoa para explicar o renascimento implícito neste processo de conhecer, que se dá na permanente dialética entre morrer e nascer. Renascer, neste caso, significa assumir o risco da consciência da inconclusão no plano da vida individual e coletivo.

Por fim, a conscientização não pode prescindir da estética: "A necessária promoção da ingenuidade à criticidade não pode ou não deve ser feita à distância de uma rigorosa formação ética ao lado sempre da estética. Decência e boniteza de mãos dadas". Essas palavras de Pedagogia da Autonomia revelam Paulo Freire, em sua maturidade, confirmando a inseparabilidade do bom e do belo na prática educativa. Em nenhum lugar de sua obra encontramos uma elaboração teórica sistemática sobre a sua compreensão da estética, mas ela se manifesta sobre isso de pelo menos três maneiras ao longo de seus escritos.

A boniteza tem a ver em primeiro lugar com os sonhos e os projetos de mundo que se cultiva e se estende para o jeito de lutar por eles. Um país menos feio é um país com menos injustiça, um país melhor para todos os cidadãos. O fato de usar em seus escritos o termo boniteza em vez do clássico beleza sinaliza a sua intenção de não associar o belo e o estético com algum gosto elitizado, com sabor de erudição. A esteticidade pode estar em todos os lugares onde é permitido viver uma vida decente: é a boniteza do corpo, da escola, das cidades, da natureza, enfim, do mundo.

SERIEDADE COM ALEGRIA

A estética tem a ver com a alegria, que Paulo Freire não dissocia de seriedade. Por exemplo, o fato de uma escola ser um lugar de trabalho sério não significa que ela não possa ser um lugar alegre. Não se trata de uma alegria ingênua, mas de uma alegria que deve ser conquistada na luta porque nasce da esperança. "Há uma relação entre a alegria necessária à atividade educativa e a esperança. A esperança de que professor e alunos juntos podemos aprender, ensinar, inquietar-nos, produzir e juntos igualmente resistir aos obstáculos à nossa alegria", afirma ele em Pedagogia da Autonomia. Poderíamos dizer que assim como a esperança, com a qual o ser humano nasce e precisa ser educado, também a alegria precisa ser cultivada.

A estética se revela ainda na sua forma de escrever. Thiago de Mello, autor do poema "Canção para os Fonemas de Alegria", percorreu a obra de Freire na busca de metáforas que revelassem a preocupação de Freire em manter a coerência entre um discurso sobre boniteza e um discurso bonito, capazes de impregnar a palavra de um poder mágico, transformador. Ele diz, num diálogo poético: "O gosto pelas metáforas Paulo Freire tem e é bom. Pois lhe permite andar pelas ruas da história, ver e ouvir com nitidez o contorno sonoro da fala do camponês, livre das esquinas arestosas que nos fere. Paulo é dono de um dizer que leva a gente a pensar. É a sua maneira corajosa de amar. Ele chega e anima: o tempo é fundante, o inédito é viável, e nos encoraja contra o cansaço espiritual, o medo da aventura, a esperança vazia, porque aprendeu que desse cansaço nasce uma anestesia histórica".

Contribuições para a educação

O PENSADOR E A EDUCAÇÃO CONTEMPORÂNEA

por Danilo R. Streck

Com a pedagogia do oprimido, a pedagogia é libertada do universalismo neutro que esconde ou naturaliza as muitas formas de dominação para reinventar-se a partir do outro

Os anos que nos separam da morte de Paulo Freire, ocorrida em 1997, são um espaço de tempo curto para se efetuar um balanço mais rigoroso de sua contribuição para a educação. Talvez por isso não raro deparamo-nos com a polêmica dos "contra" e dos "a favor". Os primeiros argumentando que Paulo Freire deveria ser esquecido porque existem propostas pedagógicas mais atuais e relevantes, e o segundo grupo reverenciando-o como alguém que se encontra fora e acima das críticas. Tanto uma como a outra postura são pouco produtivas para a educação, além de contrárias ao próprio pensamento de Paulo Freire. Ele tinha plena consciência da transitoriedade daquilo que se faz e pensa, mas paradoxalmente era capaz de ver nessa mesma transitoriedade os sinais de permanência e de transcendência.

Parece mais adequado reconhecer que nos deparamos hoje com múltiplos Freires e que não faz sentido colocar-se como guardião do que supostamente poderia ser o verdadeiro Freire. Ele tinha a virtude de reconhecer as inevitáveis contradições em sua própria vida, pelo simples fato de estas fazerem parte da sociedade na qual se vive. Por exemplo, muitos meninos pobres do

Recife não tiveram as oportunidades que foram criadas por pessoas de sua família e pelo diretor do Colégio Oswaldo Cruz para que ele estudasse. Mas ele nunca entendeu isso como um direito que lhe permitisse esquecer que as condições de vida em nossa sociedade são desiguais. A coerência que pregava, sem moralismos ou fatalismos, tinha a ver com um posicionamento de denúncia dessas condições e de anúncio, na práxis (palavra-ação), de novas possibilidades de construir a existência individual e coletiva.

O reconhecimento do caráter historicamente situado de sua obra está manifesto também no fato de que ele soube recriar-se, na prática e na teoria, dentro dos movimentos da história. Sua pedagogia do oprimido virou pedagogia da esperança, pedagogia da autonomia, pedagogia da indignação, entre outras nominadas por ele mesmo ou por quem nele se inspirou para mostrar um outro lado ou uma outra dimensão da prática educativa voltada para o ser mais. O próprio ser mais nunca designou uma determinada forma para o ser humano ou os limites do que este poderia ser, mas apontava para a incompletude da vida como espaço de realização. Não há, portanto, razão para fixar Paulo Freire em determinado momento da história ou vinculá-lo de forma determinista a uma matriz teórica ou a algum campo da prática.

Em diálogos sobre a obra de Paulo Freire é comum que alguém se identifique mais com a Pedagogia do Oprimido, outro já vê em Educação e Política ou em Cartas a Cristina a grande inspiração para a sua prática. A enorme receptividade de Pedagogia da Autonomia indica que muitos estudantes e educadores encontram, hoje, neste pequeno livro as lições para o seu trabalho e para a sua vida. Alguns veem em Paulo Freire o inspirador da educação popular, outros buscam nele lições como gestores de sistemas de ensino a partir de sua experiência à frente da Secretaria de Educação na cidade de São Paulo; ainda outros reconhecem nele elementos para a construção de uma filosofia da educação ou simplesmente apreciam seu jeito de ser e de lidar com a vida e as coisas da educação.

Para alguns o nome Paulo Freire talvez tenha virado marca, uma espécie de grife para garantir credibilidade ou legitimidade, desde nome de escolas a citações de trabalhos acadêmicos. No entanto, para a grande maioria que se ocupa com seu pensamento e sua obra Freire simboliza a possibilidade de se pensar o que ele chamava inéditos viáveis. Essa busca de inéditos viáveis ou do sonho possível pode acontecer no cotidiano da sala de aula, na gestão de escolas ou de sistema de ensino, no trabalho com saúde pública, em movimentos sociais e em qualquer lugar onde se aceita a premissa de que o futuro não precisa ser a repetição do presente e que a educação tem um papel em projetar e construir este outro futuro. A educação não tem o poder imediato da economia, do voto ou das armas do exército. Mas paradoxalmente, para Freire, é na sua fraqueza que reside sua força, assim como a fraqueza dos oprimidos contém o gérmen da transformação. Segundo ele, em À Sombra desta Mangueira, "se o poder econômico e político dos poderosos desaloja os fracos dos mínimos espaços de sobrevivência, não 'porque assim deva ser'; é preciso que a fraqueza dos fracos se torne uma força capaz de inaugurar a justiça".

É a palavra autêntica, unida à ação, que tem o poder mágico de transformação. Thiago de Mello, referindo-se ao homem que aprende a ler a palavra e ler o mundo, disse isso de uma forma muito bela em sua "Canção para os Fonemas da Alegria":

> ...porque unindo pedaços de palavras
> aos poucos vai unindo argila e orvalho,
> tristeza e pão, cambão e beija-flor,
>
> e acaba por unir a própria vida
> no seu peito partida e repartida
> quando afinal descobre num clarão
>
> que o mundo é seu também...

Há em suas afirmações uma obviedade inquietante e provocadora que desafia a querer saber mais. Ele tinha consciência deste seu papel de peregrino do óbvio, como ele mesmo dizia de si. Mas esta simplicidade nada tem a ver com o fácil ou superficial. A sua biblioteca pessoal no Instituto Paulo Freire, em São Paulo, surpreende não apenas pela quantidade, diversidade e qualidade, mas também pelo número de anotações à margem das obras. Um exemplo deste óbvio é quando ele diz em Pedagogia do

Oprimido que nenhuma ordem autoritária sobreviveria se todos começassem a fazer esta pergunta básica: "Por quê?" É simples, mas nada fácil. Já outros veem nesse seu jeito de fazer pedagogia a falta de rigor científico e acadêmico, talvez sem perceber que ele propõe um outro tipo de rigorosidade.

Entendo que sua obra é uma espécie de sombra de mangueira (título de um de seus livros) onde pessoas se encontram para recarregar energias, buscar inspiração e renovar suas ideias e práticas. Mas esta sombra tem suas fronteiras, e sua eventual pretensão de universalidade não está em abarcar tudo, mas em afirmar a relevância de determinado tipo de prática e de reflexão para o mundo em que vivemos. Rosa Maria Torres expressou de uma maneira muito feliz o que talvez seja o grande legado de Paulo Freire: "Pouco importa se uns entenderam Freire melhor do que outros, se existiram os que compreenderam realmente o seu pensamento ou não. A maior contribuição de Paulo Freire talvez seja ter conseguido comunicar-se e conectar-se com a fibra mais amorosa e genuína de muitas pessoas – babel de idades, raças, credos, posições econômicas, sociais e ideológicas, níveis educativos, profissões e ocupações – ajudando-as a saber que existe algo chamado educação e algo chamado pobreza/marginalização/opressão, que existe uma relação entre ambas, que tal relação pode ser tanto de cumplicidade quanto de ruptura, útil tanto para oprimir quanto para libertar".

O legado de Paulo Freire se ramifica, portanto, em vários campos da reflexão teórica e da prática. Especialmente por ocasião dos 10 anos de sua morte (2007) muito se perguntou sobre a atualidade de Paulo Freire. Acredito que haja um problema na própria colocação desta pergunta. A questão que importa não é se Paulo Freire continua atual, o que num sentido mais estrito é impossível, mas de que forma ele nos ajuda a ser habitantes de nosso tempo. Ao discutir o uso da televisão na sala de aula no segundo volume de Sobre Educação (Diálogos), ele disse o seguinte: "Tenho a impressão de que o melhor que posso dizer, no começo de minha reflexão, em torno desse problema, é: uma das coisas mais lastimáveis para um ser humano é ele não pertencer a seu tempo. É se sentir, assim, um exilado de seu tempo". A questão que cabe é o que significa não ser um exilado de um tempo quando, além da televisão, temos amplo acesso à internet, quando as tecnologias digitais colocam à disposição formas de interação e instrumentos de informação inconcebíveis quando Freire disse a frase acima no diálogo com Sérgio Guimarães.

Diante da pergunta de onde estaria a maior contribuição de Paulo Freire para a educação contemporânea, também as respostas serão múltiplas, dependendo do Paulo Freire que se tomar como companheiro. Para uns será o Paulo Freire revolucionário, para outros o educador dialógico, para outros o pensador multidisciplinar, entre muitos possíveis. O que segue é um exercício que carrega as marcas de quem fez a escolha e não tem a pretensão de responder pela totalidade da obra de Freire. Uma das grandes lições de Freire está, a meu ver, no fato de ele se colocar permanentemente como testemunho do ato de conhecer, um conhecer que é também sempre um pronunciar o mundo em que se vive. O tão falado diálogo não é para Freire um método entre outros, mas uma postura diante do mundo, dos outros e do próprio conhecimento. Uma postura de quem sabe que sabe, mas que, em sabendo, sabe que tem ainda e sempre muito a saber. Dentro dessa perspectiva, identifico pelo menos quatro lugares onde o pensamento de Paulo Freire é especialmente relevante hoje: 1. a recriação e o cultivo do pensamento utópico; 2. a radicalidade como base da ação ético-pedagógica; 3. o diálogo como princípio metodológico; 4. a libertação da pedagogia para uma nova rigorosidade.

A UTOPIA

A utopia, para Freire, não consiste num retorno a um passado ideal ou na divisão entre um estado de perfeição e uma condição presente à qual estamos fatalisticamente presos. Ele traduz essa tensão inerente à utopia neste parágrafo que, pela expressividade, transcrevo na íntegra: "Utópico para mim não é o irrealizável, não é idealismo. Utopia é a dialetização nos atos de denunciar e anunciar. O ato de denunciar a estrutura desumanizante, e o ato de anunciar a estrutura humanizadora. Por essa razão é também compromisso histórico. A utopia exige conhecer criticamente. É um ato de conhecimento. Eu não posso denunciar a estrutura desumanizante se não a penetro para conhecê-la. Não posso anunciar se não a conheço. Mas entre o anúncio e a realização do anúncio há algo que deve ser enfatizado e que é que o anúncio não é o anúncio de um projeto, mas é o anúncio de um anteprojeto. Porque o anteprojeto se faz projeto na práxis histórica. Assim sendo, entre o anteprojeto e o momento da realização ou concretização do projeto há um momento que se chama histórico. É exatamente a história que nós temos que criar com nossas mãos e temos que fazer. É o tempo das transformações que temos que realizar. É o tempo de meu compromisso histórico. Por essa razão somente os utópicos – e enquanto utópicos revolucionários – (quem foi Marx senão um utópico, quem foi Guevara senão um utópico) podem ser proféticos e podem ser esperançosos".

O inédito viável irrompe no tempo cronológico e se faz história. Este tempo histórico, por um lado, implica condicionamento e, por outro, possibilidade. É na tensão entre estas duas condições da existência humana que se realiza a autonomia, o tema central de seu último livro (Pedagogia da Autonomia). A primeira dessas condições aponta para os limites dentro dos quais a vida de cada um e cada uma se desenvolve. Paulo Freire, como sabemos, distingue entre condicionamento e determinação. Se fôssemos determinados, nosso tempo não seria um tempo de história, o qual, pelo contrário, é um tempo de possibilidades, porque o próprio limite não é sentido como uma fatalidade, mas como um momento na realização do ser mais. "O futuro", diz ele, "não é uma província histórica mais além do hoje à espera de que lá cheguemos um dia e façamos a operação de acrescentar este amanhã já feito ao hoje, tornando-se velho e superado. [...] Numa perspectiva verdadeiramente dialética o sonho que nos move é uma possibilidade por que devo lutar para que se realize".

O que faz com que os condicionamentos sejam sentidos como situação-limite é a possibilidade humana de transcender. Não no sentido religioso da ligação com uma força sagrada, embora Freire não descarte esta possibilidade para a sua própria existência, mas transcendência no sentido de uma não aderência ao cotidiano, ao mundo. Homens e mulheres são seres que podem estar com o mundo e não só no mundo, podem tomar distância e, através desse movimento, identificar as possibilidades de mudança. Leonardo Boff escreve, para o verbete "Transcendência" do Dicionário Paulo

Freire, que "a transcendência não é apenas um tema recorrente em toda a obra de Paulo Freire. É a sua pressuposição fundamental. Falar em opressão-libertação-liberdade-esperança implica compreender o ser humano como um ser de transcendência, quer dizer, que pode romper as cadeias, inaugurar uma prática inovadora e esperar por um mundo possível e não ensaiado".

Não havendo uma maneira predeterminada de estar no mundo, abre-se um amplo espaço para o que Freire chama de "sonho estratégico". Sonhar como ato político e como forma de estar sendo homens e mulheres não apenas permite, mas exige, este espaço de criação e reinvenção da práxis. Considerando esta característica de abertura do projeto político-pedagógico freireano, Balduíno Andreola propõe que a partir de Freire temos a possibilidade ímpar de desenvolver uma "pedagogia das grandes convergências" ou, como ele tem sugerido em recentes diálogos, das "grandes urgências".

A pedagogia de Paulo Freire, portanto, coloca-se contra os discursos fatalistas que proclamam o fim da história ou o fim das utopias, um mundo de seres "adaptados" ao que existe como destino predefinido. Uma das contribuições de Freire para a educação contemporânea é ajudar a conceber a prática educativa como a "prática da liberdade", no sentido da emancipação individual e coletiva. Não é por acaso que vemos a pedagogia freireana presente em alguns dos grandes debates que se travam hoje em dia. Basta citar alguns exemplos.

Um deles diz respeito ao tensionamento entre diversidade e igualdade. Para Freire, trata-se de manter dialeticamente "a diversidade na unidade". Reconhece que o discurso da diversidade pode facilmente levar à fragmentação, favorecendo a continuidade da opressão através da divisão. "O dividir para dominar" é para ele uma das características da "ação antidialógica". Em Pedagogia do Oprimido lemos: "Quanto mais se pulverize a totalidade de uma área em 'comunidades locais', nos trabalhos de 'desenvolvimento de comunidade', sem que estas comunidades sejam estudadas como totalidades em si, que são parcialidades de outra totalidade (área, região etc.) que, por sua vez, é parcialidade de uma totalidade maior (o país, como parcialidade da totalidade continental) tanto mais se intensifica a alienação. E, quanto mais alienados, mais fácil dividi-los e mantê-los divididos".

Da mesma forma, ele nega que o devir histórico possa ser reduzido a uma só causa. Existem classes sociais, com interesses distintos, às vezes antagônicos, mas existem também as lutas das mulheres, dos negros, dos povos originários, das pessoas com deficiências que não podem simplesmente ser subsumidas dentro de uma única luta. A sociedade por ele desenhada mantém em tensão dialética os valores históricos da luta pela igualdade e as necessárias conquistas das diferenças.

Outro lugar onde se verifica crescente contribuição de Paulo Freire é na educação ecológica. Trata-se de restabelecer a vinculação existente entre comprometimento social e o mundo no qual esta ação humana se desenvolve. Ele insiste que para os seres humanos, diferente dos animais, o mundo não é apenas "suporte", mas já é desde sempre um mundo transpassado pela cultura. A própria natureza, desde que nominada pelo ser humano, é o resultado de uma ação cultural. A ação libertadora e transformadora de homens e mulheres por uma sociedade mais justa, portanto, não pode ser separada da ação pelo mundo da natureza que garante a própria possibilidade de humanização. Embora o conceito de ecologia apareça apenas em seus últimos escritos, toda a sua obra é marcada pelo profundo amor ao ser humano e ao mundo em que vive.

A RADICALIDADE

Quando Paulo Freire define a si mesmo como radical, o faz contrapondo a radicalidade ao sectarismo. O sectário, de direita ou de esquerda, é alguém que se pretende proprietário da história. "A sectarização", diz ele em Educação como Prática da Liberdade, "tem uma matriz preponderantemente emocional e acrítica. É arrogante, antidialogal e por isso anticomunicativa. É reacionária, seja assumida por direitista, que para nós é um 'sectário' de nascença, ou esquerdista. O sectário nada cria porque não ama".

O radical, por outro lado, é alguém que se sabe parte de uma história que ele ao mesmo tempo sofre e constrói. "A radicalização, que implica o enraizamento que o homem faz na opção que fez, é positiva, porque preponderantemente crítica. Porque crítica e amorosa, humilde e comunicativa", prossegue ele. Nesta definição há dois momentos complementares. O primeiro deles é a própria opção, o que ainda não significa muito, uma vez que não é possível existir na história sem fazer opções. O próprio fato de não fazer opção é também uma opção. O novo – este é o segundo momento – consiste no enraizamento na opção já feita, ou seja, na busca pela raiz desta opção. Nesse processo pode-se descobrir, por exemplo, como uma opção partidária ou, enquanto professor, uma escolha teórica e metodológica se deu por pressão de um grupo, pela falta de conhecimento de alternativas ou outras razões que impedem o enraizamento.

A radicalidade permite a vivência de uma atitude aberta na qual as diferenças e as próprias contradições formam uma síntese num novo patamar de existência. As pessoas verdadeiramente radicais, no sentido de Freire, com certeza são raras, por isso parecem mais plenamente humanas que a maioria de nós. Na história, podemos pensar em figuras como Ghandi, Martin Luther King, Nelson Mandela ou Hélder Câmara. São pessoas cuja universalidade está na constante busca da "raiz" onde as diferenças partidárias ou ideológicas são percebidas como menores. Trata-se, emprestando uma linguagem da teologia, de não confundir as últimas coisas com as penúltimas, mantendo viva a tensão entre a mudança e a permanência. "Por isso", diz Freire em À Sombra desta Mangueira, "a radicalidade é serena, na medida em que não teme mudar quando for necessário. [...] O radical está a serviço da verdade; o sectário de sua verdade, que ainda pretende impor".

O século xx, do qual Paulo Freire faz parte com sua experiência que começou num projeto de alfabetização de adultos em Angicos (Rio Grande do Norte), começa a revelar-se diante de nossos olhos como um rico manancial de experiências sociais e pedagógicas inscritas em sonhos e projetos que podem ser adjetivados como radicais. Myles Horton, no Centro Highlander, formou lideranças para o movimento de direitos civis nos Estados Unidos. James Coady (1939), articulando a educação com a economia, lançou as bases para um movimento de educação de adultos ligado à formação para o trabalho cooperativado que se espalhou para muito além do Canadá. Ivan Illich (1972) propôs nada menos que o ousado projeto de acabar com a escola tal como a conhecemos por vê-la como fator constitutivo dos problemas das sociedades modernas. São propostas que talvez ajudem a situar-nos diante de um consenso pedagógico que parece sugerir o fim da própria pedagogia. Os problemas da educação são cada vez mais tratados como dificuldades pontuais de ampliação de cursos e melhora do nível de eficiência, quando não como questão de defasagem no uso das novas tecnologias. Os resultados de avaliações nacionais e internacionais tendem a adquirir um valor em si mesmos, não por último como possibilidade de "agregar valor" econômico e de status social aos títulos conferidos.

A radicalidade, no sentido freireano, implica em "trânsito", que é mais do que simples mudança. "E se todo Trânsito é mudança, nem toda mudança é Trânsito. As mudanças se processam numa mesma unidade de tempo histórico qualitativamente invariável, sem afetá-la profundamente", observa Freire, em Educação como Prática da Liberdade. Já o trânsito implica confrontar-se com temas novos e com novas tarefas, que são difíceis de identificar nos atuais "tempos líquidos", quando a própria ideia de progresso deixou de significar um salto para a frente, mas é entendido como um "esforço desesperado para se manter na corrida", como diz Zygmunt Bauman.

A pedagogia radical é, portanto, contrária a uma pedagogia do medo que insiste em agarrar-se a verdades que por sua vez geram os fundamentalismos que hoje podem ser encontrados em todas as áreas da vida, desde a religião até a própria pedagogia. Da mesma forma, ela se opõe a uma assunção acrítica de modismos. A radicalidade questiona as verdades não para encontrar uma verdade definitiva, mas porque sabe que o ser humano se realiza exatamente na busca do ser mais.

O DIÁLOGO E A LEITURA DO MUNDO

Para Paulo Freire o diálogo não pode ser confundido com uma técnica ou com um método pedagógico. Diálogo é, antes de tudo, uma maneira de ser, um modo de se relacionar com o mundo e com os outros. Não se pode optar pelo diálogo numa aula ou num determinado programa como uma proposta ou um projeto isolado. "A dialogicidade é uma exigência da natureza humana e também um reclamo da opção democrática do educador", diz Freire.

A natureza humana caracteriza-se pelo inacabamento e, sobretudo, pela possibilidade de saber que se é inacabado. A educação, especificidade humana, funda-se sobre esta inconclusão que, ao mesmo tempo, a torna uma tarefa constante. Não há, segundo Paulo Freire, uma natureza humana preexistente, mas ela própria se constitui na história. Com suas palavras: "Tenho chamado a atenção para a natureza humana constituindo-se social e historicamente e não como um *a priori*". E isso é sempre um processo intersubjetivo na medida em que o "ser mais" não existe à parte do "ser com".

O diálogo, no entanto, não acaba em si mesmo. Na medida em que ele busca a palavra autêntica, ele tem um caráter transformador da realidade. O próprio processo pedagógico é sempre revestido de diretividade e o diálogo se coloca como condição e como meio para duas questões centrais no processo de ensinar e aprender.

A primeira delas é que o diálogo tem um caráter "desvelador" da realidade enquanto encontro de pessoas para ouvirem a palavra do outro e dizerem a sua palavra. A leitura de mundo, que na teoria freireana precede a leitura da palavra, é uma tarefa permanente do educador, para a sua autoformação e para a formação de seus educandos. É uma leitura de mundo que obviamente vai além de informação sobre acidentes de trânsito, das notícias sobre o consumo de drogas e da violência. Trata-se da interpretação dessas informações para a qual é importante contar com a ajuda de profissionais de várias áreas. Veja-se, por exemplo, que ao levantar o universo vocabular em suas experiências de alfabetização Paulo Freire contava com a colaboração de uma equipe interdisciplinar.

A leitura do mundo é tão importante porque tem a ver diretamente com as possibilidades que se percebem no sentido de transformação da realidade e, eventualmente, de criação de uma realidade diferente. Qualquer projeto novo ou alternativo de sociedade só será viável se partir da visão clara daquilo que existe e se conseguir ver nas dificuldades o que Freire chama de situações-limites. Ou seja, as possibilidades emergem dos próprios obstáculos quando vistos como produtos históricos e não como obras do destino.

O diálogo, como princípio metodológico, também fundamenta a imagem que Paulo Freire faz do educador como testemunha. "Considero o testemunho como um 'discurso' coerente e permanente da educadora progressista. Tentarei pensar o testemunho como a melhor maneira de chamar a atenção do educando para a validade do que se propõe, para o acerto do que valora, para a firmeza na luta, na busca da superação das dificuldades. A prática educativa em que inexiste a relação coerente entre o que a educadora diz e o que ela faz é, enquanto prática educativa, um desastre", afirma Freire em Professora Sim, Tia Não: Cartas a Quem Ousa Ensinar. Seu testemunho diz respeito à coerência entre o que ele diz e faz, à sua disponibilidade na luta pela justiça, pela liberdade e outros valores humanos. O testemunho tem a ver com a consciência da não neutralidade diante da vida que gosta de si e que está ameaçada. Em suas Cartas Pedagógicas (Pedagogia da Indignação), fala aos pais do tipo de testemunho diante das opções políticas e religiosas. Não se trata nem de omitir as opções nem de fazer com que sejam imitadas: "O que me cabe é testemunhar-lhes minha profunda amorosidade pela liberdade, meu respeito aos limites sem os quais minha liberdade fenece, meu acatamento à sua liberdade em aprendizagem para que eles e elas, amanhã, a usem plenamente no domínio político tanto quanto no da fé". O testemunho permite este espaço de liberdade para a reinvenção do objeto do testemunho, tanto de quem escuta quanto de quem fala.

VALORIZAÇÃO DO PROCESSO

No caso dos professores, trata-se também sempre do testemunho no processo de conhecer-aprender-ensinar: ao ensinar, o professor ou a professora refaz com seus alunos, e diante deles, o ato de aprender e, com isso, ensina não só um conteúdo, mas a própria maneira de elaborar este conteúdo. Desta forma também não pode haver dicotomia entre o momento de "preparar" determinado conteúdo e o de, em seguida, "dar" este conteúdo numa aula. O caráter testemunhal evita, além disso, cair em duas posturas que do ponto de vista pedagógico são igualmente questionáveis: por um lado, o autoritarismo ou moralismo de quem sabe e acha que todos devem saber o que sabe e da forma como sabe, ou então o espontaneísmo que implica um ir e vir inconsequentes.

Na teoria de Paulo Freire conhecimento é o resultado (nunca acabado) do ato de conhecer, ou seja, de um processo que envolve sujeitos ativos em torno de uma realidade também sempre dinâmica porque é construída através das várias leituras que dela se fazem. Conhecimentos não são pacotes a serem passados adiante – não importa se via quadro-negro, lâminas de retroprojetor ou power point – mas apreensões da realidade que se realizam numa situação de conhecimento marcada pela densidade humana, de amor, de fé e de esperança. Enfim, o diálogo.

UMA NOVA RIGOROSIDADE

Uma das questões mais polêmicas na obra de Paulo Freire é a questão da rigorosidade. Que ele tem plena consciência disso se revela nas frequentes referências diretas a este tema, sinalizando rupturas com um tipo de rigorosidade que precisa ser superado. Para ele, a rigorosidade vem sempre situada no contexto da politicidade e da eticidade. De nada vale o rigor se este estiver a serviço da dominação, talvez tornando-a mais eficiente. Rigorosidade tem a ver com o desenvolvimento da capacidade crítica, com a assunção da vida como projeto, com a universalização da possibilidade de "ser mais".

Em outro sentido, a rigorosidade em Paulo Freire coloca como foco de atenção não uma teoria que precise ser compreendida pelo valor que tem em si, mas uma situação-limite que se vai constituindo como objeto da "curiosidade epistemológica" e da "rigorosidade metodológica" de educadores e educandos. Ele testemunha isso na sua forma de trabalhar questões que lhe são colocadas. Primeiro, o tema é tornado manejável. Assim como o jogador de futebol, ao receber a bola, procura torná-la "redonda" para prosseguir a jogada, Paulo Freire se acerca ou aproxima amorosamente do tema. O objeto não é um inimigo que precisa ser vencido, mas um desafio com o qual se trava uma luta ao mesmo tempo dura e prazerosa. A aproximação é então feita por vários ângulos, num exercício provavelmente mais transdisciplinar do que interdisciplinar, uma vez que as fronteiras entre disciplinas são de menor importância. A lógica não é mais a das disciplinas que exigem uma aplicação rigorosa do método ou da curiosidade, mas é a própria situação-limite transformada em objeto de conhecimento que exige todo o rigor possível, inclusive aquele das disciplinas, quando necessário. Em outras palavras, Paulo Freire propõe uma recolocação da relação entre meios e fins, libertando da prisão aos meios, quando estes se transformam em fim e, com isso, muitas vezes em obstáculos para a compreensão da realidade, e libertando sobretudo para uma relação curiosa com o mundo.

Paulo Freire é um pensador que não teme atravessar fronteiras epistemológicas para compreender o mundo e traduzir a sua prática. Sua obra maior, a Pedagogia do Oprimido é permeada das fontes clássicas do pensamento ocidental, como Hegel, Marx, Fromm, Husserl, Sartre e outros. É deles que Paulo Freire deriva elementos-chaves para a estruturação de sua obra: a visão de história, de sociedade, de homem e mulher, de opressão e libertação. Mas há também referências de Che Guevara e Fidel Castro, de Lenin e Mao Tsé Tung, assim como há a presença do discurso de descolonização através das obras de Franz Fanon e Albert Memmi. Entre os autores brasileiros citados, estão nomes como Antônio Cândido Mendes, Álvaro Vieira Pinto e Ernani Maria Fiori.

Todas estas fontes, no entanto, estão em permanente diálogo com o saber que brota da experiência e não é raro Paulo Freire citar o pensamento de um agricultor ou de um operário ao lado do discurso de um intelectual. A legitimidade de uma fonte não provém do grau acadêmico de determinado autor, mas de seu potencial de incidência sobre a práxis transformadora. Não é a academia que legitima o saber popular nem tampouco o inverso. Ambos os saberes são testados, legitimados e transformados na medida em que estão (ou não estão) a serviço de homens e mulheres que assumem seu papel de sujeitos.

"CONTAMINADO" DE EXPERIÊNCIAS

O resultado desta forma de fazer pedagogia parece que nos autoriza a ver na pedagogia de Freire uma tentativa de libertação da pedagogia. Paulo Freire não apenas explicita uma nova pedagogia, mas sobretudo nos ensina uma nova maneira de fazer pedagogia. Richard Shaull, em 1972, no prefácio à edição inglesa de Pedagogia do Oprimido já comentava exatamente este fato: "Ao longo dos anos, ele tem se engajado num processo de estudo e reflexão que tem produzido algo bastante novo e criativo em filosofia da educação. De uma situação de engajamento direto na luta por libertar homens e mulheres para criar um mundo novo, ele tem se valido do pensamento e da experiência daqueles em muitas situações diferentes e de posições filosóficas diversas. [...] Ele tem feito uso dos insights desses homens para desenvolver uma perspectiva de educação que é autenticamente sua e que procura responder à realidade concreta da América Latina".

É uma reflexão que implica a libertação de uma pedagogia supostamente neutra e universal para uma pedagogia do outro. Sob o manto do universalismo, a pedagogia moderna esconde a sua parcialidade a favor dos dominadores, o que não significa que não tivesse havido preocupação com as desigualdades e com a exclusão social. Na história da educação há muitas pessoas e instituições que, movidas pela caridade ou pela denúncia das injustiças e desigualdades sociais, fizeram da educação dos oprimidos a sua vocação. O novo com Paulo Freire é o fato de eles pela primeira vez se tornarem sujeitos da pedagogia. É uma pedagogia do oprimido e não para o oprimido. Talvez ninguém tenha dito isso melhor do que Ernani Maria Fiori no prefácio à Pedagogia do Oprimido, onde escreve: "Os métodos da opressão não podem, contraditoriamente, servir à libertação. Nessas sociedades, governadas pelos interesses de grupos, classes e nações dominantes, a 'educação como prática da liberdade' postula, necessariamente, uma 'pedagogia do oprimido'. Não pedagogia para ele, mas dele". A pedagogia é libertada do universalismo neutro que esconde ou naturaliza as muitas formas de dominação para reinventar-se a partir do outro.

CONCLUSÃO

O pensamento pedagógico contemporâneo se apresenta como um mosaico no qual não despontam teorias fortes, como algumas décadas atrás quando havia, por exemplo, o debate entre rogerianos (Carl Rogers) e skinnerianos (B.F. Skinner), uns defendendo a não diretividade na aprendizagem e outros a aprendizagem como controle de comportamento ocasião em que Piaget realizava suas pesquisas sobre o desenvolvimento da inteligência ou quando na América Latina se formava o grande movimento pedagógico da educação popular. A avalanche neoliberal, na esteira do consenso de Washington na economia, parece ter criado um consenso pedagógico sob cujos efeitos ainda vivemos.

Um mapeamento superficial permite identificar alguns discursos recorrentes, como o construcionismo, a teoria sistêmica, o pós-estruturalismo, a pedagogia holística, a pedagogia das competências, a teoria crítica e as várias correntes que estudam os usos e as implicações das tecnologias digitais. Nelas parece haver espaço para grandes embates sobre projetos de humanidade ou civilização e de sociedade. Consequentemente, também não se percebe grande necessidade de questionar as finalidades e os conteúdos da educação, mas centra-se a preocupação em como aprender, de preferência por toda a vida e com a utilização das novas tecnologias digitais.

Nesse contexto Paulo Freire representa dois papéis aparentemente contraditórios, mas na realidade complementares. Por um lado, seu pensamento é conectivo, articulando diferentes posições e não temendo o trabalho nas fronteiras das áreas de conhecimento e nas perspectivas epistemológicas na busca de uma educação para que as pessoas não se sintam exiladas de seu tempo. Por outro lado, ele não dispensa buscar "raízes" e compreender as condições sociais nas quais as práticas educativas estão inseridas, a partir do pressuposto de que a educação não pode ser resumida a práticas de adaptação ao mundo, mas criar condições para a emergência dos inéditos viáveis.

O legado - I

A ATUALIDADE DE UM PENSAMENTO DIALÓGICO

por Lisete Regina Gomes Arelaro e Maria Regina Martins Cabral

O processo da aprendizagem, tal como visto por Paulo Freire, possibilita todos os dias, a todos os alunos, uma descoberta e uma visão mais completa e complexa do mundo e da sociedade

Escrever sobre Paulo Freire é revisitar o caminho que o levou a ser um dos mais importantes teóricos do Brasil na área da educação nesses últimos cinquenta anos, o que nos faz indagar quais razões existem para esse pensador – tão importante no mundo inteiro – ainda ser pouco estudado nas universidades do país, mesmo o seu pensamento sendo referência necessária e atual para uma educação consistente e motivadora que possibilite uma formação mais instigante e significativa para os cidadãos brasileiros. Esse olhar voltado para a linha da história de Freire nos faz compreender o teórico engajado na educação libertadora de homens e mulheres pobres do Brasil e do mundo.

Entre 1961 e 1962, no Serviço de Extensão Cultural da Universidade de Recife, com uma equipe de educadores/pesquisadores que se juntaram a ele, realiza durante 45 dias uma experiência de alfabetização com 300 trabalhadores no corte da cana. Esse é um marco importante em sua experiência de alfabetização de adultos, sobretudo pela sistematização dos passos que foram vivenciados durante esses dias, tendo o nordestino pobre e analfabeto como foco de seus estudos e de seu ambicioso desejo de ver aquelas pessoas, não apenas aprendendo, mas libertando-se de uma situação de submissão em que viviam diante da realidade de exploração existente.

Desde então, Freire passa a experimentar metodologias e a elaborar referências teóricas que possibilitem o trabalho educativo tendo como centro desse processo o educando que sente, trabalha, tem conhecimento, habita um mundo circundante, cheio de conteúdos a serem desvelados e potencialidades a serem exploradas de modo a alavancar o desenvolvimento crítico desse sujeito que ao mesmo tempo aprende e ensina.

QUESTÕES POLÍTICAS E PEDAGÓGICAS DA EDUCAÇÃO POPULAR SEGUNDO FREIRE

Freire, ao longo de sua história como educador e teórico da educação, combateu as propostas educativas que reforçam a dicotomia homens-mundo, por considerar essa separação inadequada e exprimir uma forma de opressão. Para ele, a educação deveria fomentar a reflexão crítica dos sujeitos sobre a própria vida para provocar a superação da passividade dos homens diante da realidade vigente. A educação acrítica, diz ele em Educação e Mudança, é implantada por uma sociedade que deseja "homens simplesmente no mundo e não com o mundo e com os outros. Homens espectadores e não recriadores do mundo [...]. A consciência como se fosse alguma seção dentro dos homens, mecanicistamente compartimentada, passivamente aberta ao mundo que a irá enchendo de realidade. Uma consciência continente a receber permanentemente os depósitos, que o mundo lhe faz, e que se vão transformando em seus conteúdos. Como se os homens fossem uma presa do mundo e este um eterno caçador daqueles, que tivesse por distração enchê-los de pedaços seus".

Em contraponto a esse tipo de educação, Freire defendia que a educação fosse metodologicamente desenvolvida através da problematização do homem em suas relações com o mundo e com outros homens, como forma de aprofundamento acerca do contexto sociocultural e político-econômico.

Esse tripé, constituído por realidade vivida (saberes dos sujeitos) – problematização (dos saberes e da realidade vivida) – e realidade desejada (novos saberes e práticas construídos), permitiria ao educando uma tomada de consciência sobre o mundo circundante. E é nessa dinâmica de construção e ressignificação de conhecimentos, continuamente aprofundados, a partir das experiências diversas que ocorrem ao redor do aprendente, que poderá acontecer um processo de conscientização.

Dessa forma, a problematização, a integração e articulação de conteúdos podem proporcionar um processo de aprendizagem denso e com reflexão crítica. Como diz Freire em Educação como Prática de Liberdade, "somos ou nos tornamos educáveis porque, ao lado da constatação de experiências negadoras de liberdade, verificamos ser possível a luta pela liberdade e pela autonomia contra a opressão e o arbítrio".

Concordando-se com essa citação pode-se afirmar que a atual forma generalizada que perpassa políticas e práticas educacionais precisa ser confrontada com o pensamento de Freire, que pensa a educação, usando outra chave teórica, referenciada na concepção de práticas educativas libertadoras, críticas e transformadoras.

De modo geral, muitas experiências de educação de adultos que se utilizaram dessa metodologia sistematizada por Freire têm na problematização do conhecimento um eixo articulador das estratégias de construção de novos saberes a serem desenvolvidos com os educandos.

"A desconsideração total pela formação integral do ser humano e sua redução a puro treino fortalecem a maneira autoritária de falar de cima para baixo", diz Freire em Pedagogia da Autonomia. Por isso ele enfatiza que a relação a ser estabelecida entre educador e educando precisa ser horizontal, de modo a provocar e facilitar o diálogo e a troca de conhecimentos entre educadores e educandos, fomentando debates, questionamentos e reflexão acerca da realidade vivida e da possibilidade de construção de outra realidade possível. E como se faria isso? Isso se faria a partir da mobilização individual e coletiva dos sujeitos, que cotidianamente constroem a história de uma comunidade, de um país, de modo a facilitar a construção do aprendizado, iniciando pelo que é conhecido pelo educando, mas levando-o a desenvolver um olhar cada vez mais crítico e autônomo sobre essa realidade.

É decorrente dessas reflexões que a pedagogia de Freire é também conhecida como libertadora. Liberta para a participação ativa, para o questionamento e para escolhas conscientes. Por fazer esse tipo de defesa, critica propostas educativas em que as pessoas não são convidadas a pensar. Ele argumenta não ser admissível que numa relação entre muitos sujeitos numa sala de aula, por exemplo, apenas um detenha o conhecimento, enquanto os demais simplesmente, e mecanicamente, o assimilam. Nesse modelo combatido por Freire, as pessoas (oprimidas) são convidadas a transferir a responsabilidade para outras (opressoras) que dão as ordens e que supostamente possuem o conhecimento que justificaria essa hierarquização.

Para ele, a metodologia que deve ser adotada no trabalho do educador com os educandos, estimulando uma relação horizontal e participativa, precisa ser exercitada visto que a relação vertical, por isso mesmo autoritária, que faz de uns sujeitos e de outros objetos na construção da história, está profundamente enraizada na vida dos educadores.

Para isso é necessário não só o domínio e o rigor sobre o conhecimento teórico dessa metodologia, mas, sobretudo, o tenaz exercício que leva o educador e o educando à superação das posturas autoritárias, resultantes de um processo histórico em que temos sido formados desde nossa casa até os espaços que frequentamos no trabalho, na escola, na igreja, nas vivências culturais. Sem isso o educador fica apenas no discurso da mudança, mas não muda efetivamente a sua prática.

Freire defende que, para se evoluir na construção do conhecimento a partir do diálogo, os saberes dos sujeitos presentes na ação educativa devem ser considerados, mas é necessário lembrar a existência de tipos diferentes de saberes e conhecimento. Por exemplo, educadores estudam para se qualificar para o trabalho na sala de aula, enquanto os educandos vivem suas lutas e histórias no dia a dia e constroem aprendizados nesse movimento, que deverá ser desvelado, aprofundado, ampliado, sistematizado e significado com a prática e a mediação eficiente do educador.

Assim sendo, o educador não precisa negar as diferenças de saberes, mas, consciente delas, deve trabalhar para que elas não se transformem em desigualdades, ou seja, dialogar não significa meramente que um irá aprender do outro, mas que o conhecimento de um estimulará a criação do conhecimento do outro.

Apesar de essa metodologia ser condição de uma prática de educação reflexiva e questionadora do status quo, requer que se destaque também a importância de se articularem conteúdos de vida com conteúdos que levem a uma preparação do educando, de acordo com o que é proposto pelo projeto pedagógico que se pretenda ver implantado.

As experiências que foram incentivadas e desenvolvidas na Gestão Paulo Freire, em São Paulo (1989/91), no projeto chamado "Reorientação Curricular através da Interdisciplinaridade – via Tema Gerador", partiam de propostas que articulavam os conteúdos com base na definição de temas geradores, traduzidos em projetos interdisciplinares. Essas propostas iniciavam-se com a definição de temas que geravam a problematização e a sequência de atividades em cada uma das escolas de educação infantil ou de ensino fundamental que haviam desejado participar dessa prática educacional "revisitada" freireanamente, e nas turmas de ensino de jovens e adultos, com base no tema gerador, na construção da base alfabética do adulto.

Inicialmente os professores de cada escola selecionavam temas para serem trabalhados nas salas de aula. Se fossem classes de alfabetização, utilizavam como método a palavração. Este método se constituía numa mistura do método analítico (partindo de um texto) com o método sintético silábico (retirava-se dos textos uma palavra – palavração – que era desdobrada em sílabas) e a partir daí eram desenvolvidas sequências diversas para a construção do conhecimento da palavra escrita, visando um ensino-aprendizagem mais vivo e participativo.

Alguns passos comuns nessas experiências, sobretudo com adultos, quando a escola e os educadores se preparavam para o trabalho com os educandos referenciados no pensamento de Freire podem ser assim relacionados: 1º passo: Definição de temas geradores ou articuladores de conteúdos curriculares para o trabalho na sala de aula. 2º passo: Confecção para cada tema gerador/articulador de representações que fossem compreendidas pelos educandos. Eram utilizados fotografias, desenhos, eslaides, peças de teatro, vídeos, imagens do computador ou objetos. 3º passo: Cada tema gerador era precedido de pesquisa, seleção e/ou produção de material escrito pelos educadores. 4º passo: Estudo do tema pelo educador e preparação de roteiros e esquemas que facilitassem o diálogo problematizador na sala de aula. 5º passo: Organização de boas situações de aprendizagem a partir da temática, para garantir o avanço do educando no seu processo de alfabetização e/ou ensino-aprendizagem. 6º passo: Diálogo sobre possibilidades de aplicação do conhecimento aprendido dentro e fora da sala de aula, no mundo circundante de cada educando.

Definidos esses passos os educadores planejavam e organizavam as sequências ou situações de aprendizagem, de acordo com a autonomia pedagógica de cada um e o projeto político-pedagógico da escola.

DIÁLOGO COMO FERRAMENTA DE CONHECIMENTO

Uma das contribuições mais importantes de Paulo Freire é a experimentação de práticas educativas, inicialmente com adultos, utilizando-se do diálogo como ferramenta de construção de aprendizados. Ele foi um grande defensor do diálogo, como condição necessária para que ocorra a construção do saber nesse movimento dialógico e horizontalizado.

Desenvolveu, com base nessa convicção, a metodologia de uma pedagogia problematizadora. Essa perspectiva freireana de educação é aplicável em todos os níveis, etapas e modalidades da educação básica, bem como em diferentes espaços educativos. As experiências desenvolvidas nas cidades de São Paulo, Diadema, Belo Horizonte, Porto Alegre, Recife, Belém, dentre outras, demonstram o acerto dessa concepção de educação e de ensino.

Ao se iniciar a discussão de uma política pública de educação ou de um projeto educativo para uma cidade, uma escola ou uma sala de aula, eles podem estar embasados nessa ou noutra perspectiva epistemológica e metodológica. Uma das formas de não se perder o foco da pedagogia problematizadora, crítica e libertadora defendida por Freire é ter no horizonte o sujeito de direito que será alcançado com essa iniciativa.

Freire também enfatizava que outros espaços educativos poderiam adotar essa mesma metodologia horizontal em que, através do diálogo, se alcançariam determinados conteúdos para encaminhamentos e procedimentos necessários. Entre esses espaços estão os conselhos educacionais.

Em decorrência dessa defesa Paulo Freire discute, com preocupação, a reduzida participação e mesmo a ausência de alunos e pais nas escolas brasileiras, mesmo depois de mais de vinte anos de término do governo militar, que havia desestimulado a participação dos alunos nos diferentes espaços escolares fora das salas de aula, através da argumentação de que "aluno é para estudar", e isso justificou, inclusive, a intervenção nas suas associações e grêmios estudantis.

Os pais que haviam começado nos anos 1960, timidamente, a ter alguma participação de caráter mais pedagógico nas escolas de seus filhos, fruto da implantação dos princípios da Escola Nova em algumas escolas do país, foram também alijados delas. Nos anos 1970, o governo criou oficialmente as Associações de Pais e Mestres (APMs) em todas as escolas públicas do país buscando dar um atendimento "assistencial às crianças pobres" como: merenda escolar, uniforme, material didático e assistência médica e odontológica.

De lá para cá, as APMs foram mantidas como lócus privilegiado de recolhimento de recursos financeiros sob a categoria de "contribuições espontâneas das famílias", mas a participação de pais e mães não se alterou significativamente no que se refere à discussão e ao acompanhamento do projeto pedagógico da escola de seus filhos. Não se incentivaram também, depois de reativação livre dos sindicatos de profissionais da educação, associações que reunissem os pais para debates e formação específica sobre o que a escola desenvolve junto aos seus filhos.

A insistência de Freire com a temática da participação foi fortalecida com base nas experiências que ele vivenciou e materializou durante a gestão em que foi secretário municipal de Educação de São Paulo. Nesse período, um dos seus empenhos foi a implementação de conselhos de escola, de caráter deliberativo, em que a definição do projeto político-pedagógico fosse fruto da participação de pais e alunos junto com professores e especialistas da educação. Para divulgar e enfatizar a importância da mudança do caráter de consultivo para deliberativo dos conselhos escolares, Paulo Freire referenciou o roteiro de um vídeo com o sugestivo nome de "Aceita um Conselho?" que até hoje percorre o Brasil incentivando iniciativas semelhantes de participação ativa nos conselhos.

Respondendo a essa provocação, mais de 50% das cerca de quinhentas escolas de ensino fundamental existentes no início da década de 1990 no município de São Paulo elaboraram projetos (modestos ou ousados) que traduziam o desejo e o direito de experimentar, em sua escola, alternativas pedagógico-educacionais diferentes das que historicamente desenvolviam. Esta é a razão pela qual Paulo Freire sempre defendeu que as propostas, mesmo que austeras ou difíceis de ser realizadas, seriam necessariamente prazerosas, porque nascidas da vontade coletiva de tentar e testar o "diferente" no cotidiano escolar. E como o educador faz opções diárias sobre o que e como ensinar, a educação tem uma dimensão política, porque não é neutra, mesmo quando ela não é explicitada.

Um dos pré-requisitos para que isSo pudesse acontecer envolvendo alunos e pais era a escola assumir, como compromisso e rotina, a construção das normas escolares – normas de convivência – como espaço de negociação entre as partes. Este procedimento, apesar de aparentemente corriqueiro, ainda é pouco usado pelas escolas, gerando inúmeros impasses e conflitos que poderiam ser evitados se tal prática fosse adotada. Mas assumir esta prática significa adotar a gestão democrática como prática da gestão educacional em que dirigentes dão voz, voto e estímulo à divergência aos segmentos escolares que quase nunca se "pro-anunciam" – pais e alunos – em aspectos considerados proibidos aos não especialistas: a decisão sobre aspectos pedagógicos e educacionais.

Para garantir a coerência do projeto de estímulo à participação foram criados colegiados internos e externos. Os internos envolviam os órgãos da administração central, do Gabinete da Secretaria de Educação aos Núcleos Regionais de Ação Educativa – as antigas Delegacias de Ensino. Os externos, os Conselhos de Escola e os Conselhos Regionais de Conselhos de Escola (CRECEs), criados em cada uma das regiões administrativas da cidade, para estimular sistematicamente os diferentes segmentos das escolas e da comunidade a se reunirem para opinar e deliberar sobre diferentes aspectos da política educacional local, regional ou nacional.

Com essa prática de participação democrática foi inaugurada uma nova metodologia de discussão da educação pública, envolvendo segmentos diversos da comunidade escolar e do entorno da escola. Isso, contudo, não garantiu que se estendesse mais amplamente o referido modelo, apesar de conselhos diversos continuarem sendo criados no país, a partir de políticas públicas, pensadas localmente ou orientadas por políticas externas, pois o pré-requisito político para tal dinâmica é a opção radical pela gestão democrática no cotidiano escolar e educacional. O que, para além do discurso, não é fácil acontecer.

AVALIAÇÃO NA ESCOLA - PROGRESSÃO CONTINUADA E MERITOCRACIA

Um projeto político-pedagógico referenciado e defendido pela teoria freireana implica por parte de educadores e educandos (professores e estudantes) novas posturas e novas práticas no cotidiano da escola e demais espaços que abrangem a comunidade educativa. Isso se refere também à questão da avaliação, que para Paulo Freire deve ser processual e servir para ajudar o professor no planejamento de melhores conteúdos, situações e estratégias de aprendizagens, com foco no desenvolvimento integral dos educandos.

Para Freire, o professor que se pretende coerente com o compromisso da transformação social e da escola precisa ter no diálogo educativo com os educandos a condição de contribuir cada vez mais para o desenvolvimento destes.

Esse educador precisa ter autonomia para o desenvolvimento de seu trabalho e isso somente ocorre mediante o domínio de conhecimentos epistemológicos, metodológicos e políticos, o que implica e requer um processo contínuo de formação e qualificação profissional para o exercício da docência.

É, portanto, indispensável que, com sua autonomia intelectual, ele próprio seja o elaborador de seu programa, o selecionador dos textos e materiais necessários, o condutor do projeto educativo na sala de aula. Sendo assim, não pode ser o educador um mero reprodutor de manuais.

Nesse sentido, o sistema apostilado e a compra de "sistemas de ensino" privado que vêm sendo adotados por vários municípios e estados reforçam a decadência do papel docente, não pela falta de competência profissional na rede escolar, que detém número significativo de professores bem preparados, mas a partir de uma opção política de caráter neoliberal. Isso mudou a chave do processo educativo, transferindo o papel de construtor da qualidade do ensino do trabalhador docente para o material didático apostilado, uniformizado para todas as escolas e elaborado por pequeno grupo de "especialistas". "Os sistemas de avaliação pedagógica de alunos e de professores vêm se assumindo cada vez mais como discursos verticais, de cima para baixo, mas insistindo em passar por democráticos", afirma Freire na Pedagogia da Autonomia.

Desse tipo de avaliação pode decorrer o risco de se separar, com base no uso do critério de "eficiência", educandos e educadores, premiando os melhores e não corrigindo caminhos que deveriam levar todos a uma aprendizagem integral e crítica. Os modelos que avaliam os alunos e o desempenho dos professores a partir de resultados obtidos nas provas nacionais ou estaduais com o objetivo de medir qualidade e mérito do ensino fortalecem a competição e discriminação entre educandos e educadores. A avaliação proposta por Freire não discrimina e separa bons e maus alunos, bons e maus professores, mas enseja a busca de ferramentas e mecanismos que ajudem o professor a alcançar seus objetivos diretamente ligados à aprendizagem dos alunos e de correção de rota para que se alcance êxito no conjunto do desempenho educacional de uma escola, de uma cidade ou de um país. Diz Freire, no mesmo livro, a "questão que se coloca a nós é lutar em favor da compreensão e da prática da avaliação enquanto instrumento de apreciação do que fazer [...]. Avaliação em que se estimule o falar a como caminho do falar com".

Para dar conta dessa grande tarefa de inclusão de todos os alunos sem discriminação, conhecendo as lacunas e disparidades sociais do país, Freire propõe que se planejem os tempos da aprendizagem em ciclos mais longos, de modo a não prejudicar os sujeitos aprendentes, sobretudo aqueles das camadas mais pobres.

Por isso, a partir de suas reflexões, nas últimas três décadas, tendo como referência a administração da prefeita Luiza Erundina na cidade de São Paulo (1989/92) e Paulo Freire como secretário de Educação, algumas secretarias de educação no país promoveram experiências pilotos de organização do ensino fundamental através de ciclos, sobretudo para os primeiros anos desse nível. Entretanto, nem todas as experiências realizadas foram e são referenciadas no pensamento teórico da proposta política de Freire.

Freire, por exemplo, dizia ser importante que para as crianças das camadas populares que ingressavam no 1º ano do ensino fundamental e que não tiveram convivência com o mundo da leitura, com o universo da palavra escrita, fosse oportunizado um ciclo maior para que sua aprendizagem da palavra escrita ocorresse. Sua concepção do direito social à educação pressupunha a garantia de aprendizagem de todos os alunos – crianças, jovens e adultos – por serem eles o elo mais importante no processo educacional e, neste sentido, este deveria ser o compromisso primeiro de todo o sistema educacional.

De forma pioneira no Brasil, adotou a organização do ensino fundamental em três ciclos: inicial (1º, 2º e 3º anos), intermediário (4º, 5º e 6º anos) e final (7º e 8º anos), admitindo-se a reprovação dos alunos somente no último ano de cada ciclo, mas estabelecendo diversificadas, objetivas e transparentes formas de avaliação que possibilitassem aos alunos, professores e pais o acompanhamento sistemático do desenvolvimento e aproveitamento escolar.

Para que esta nova organização escolar fosse bem-sucedida, três aspectos fundamentais da vida docente precisariam ser reformulados: em primeiro lugar, uma nova jornada de trabalho docente em que se incorporassem horas de estudo e horas de reuniões coletivas, devidamente remuneradas. Em segundo lugar, aumento salarial dos profissionais de educação proporcional às novas exigências. Em terceiro, garantia de autonomia às escolas para proporem seus próprios projetos político-pedagógicos, considerando as diretrizes estabelecidas.

Em sua gestão, Paulo Freire atendeu a essas três condições que foram aprovadas no primeiro Estatuto do Magistério da cidade, estabelecendo-se uma jornada de 30 (trinta) horas de trabalho para o professor, com pagamento correspondente a uma jornada de 40 horas, cujo compromisso de horas/aula com alunos, em geral, era de 20 (vinte) horas. Em decorrência, dobrou-se o valor do salário-base do professor da cidade de São Paulo, que, ainda hoje, é o mais digno oferecido pela maioria das cidades brasileiras. O mesmo Estatuto dispôs sobre a autonomia escolar neste âmbito e o carâter deliberativo dos conselhos de escola para este fim.

Atualmente, há no Brasil uma confusão muito grande quando se discute a organização do ensino por ciclos, pois para muitos educadores trata-se apenas de mera progressão automática dos alunos, mesmo quando o conhecimento não esteja garantido, como forma de otimizar recursos materiais e financeiros, atendendo recomendações de órgãos internacionais defensores da redução dos gastos com as políticas sociais e não comprometidas com a aprendizagem dos alunos e a qualidade de ensino das escolas públicas. A progressão automática, como a adotada hoje no Brasil, por vezes proporciona um processo perverso de inclusão, pois, mesmo se garantindo o ingresso numa escola, isso não significa acesso a uma educação de qualidade.

Freire diria ser esta uma proposta da escola capitalista (bancária), que exclui propositadamente parcela da população do domínio dos conteúdos enquanto expressão de emancipação intelectual, e garante na relação "inclusiva" a produção da subordinação pelo domínio superficial, fragmentado ou de baixa qualidade.

UM ENSINAMENTO INESQUECÍVEL

Uma das razões da atualidade do pensamento do professor Paulo Freire é que ele sempre dizia que a melhor forma de se manterem vivos os seus ensinamentos era que não os repetíssemos, mas os (re) criássemos frente às novas condições de vida e de trabalho que o processo social vai ensejando em cada momento histórico.

E este professor engajado nas propostas e na missão de transformação social nunca deixou de sonhar e considerar que dias melhores precisariam ser construídos para a redução das desigualdades sociais e econômicas do Brasil e a inclusão de todas e todos no direito social da educação.

Dizia-nos ele: "Sonhar não é apenas um ato político necessário, mas também uma conotação da forma histórico-social de estar sendo de mulheres e homens. Faz parte da natureza humana que, dentro da história, se acha em permanente processo de tornar-se. [...] Não há mudança sem sonho como não há sonho sem esperança... A compreensão da história como possibilidade e não determinismo seria ininteligível sem o sonho, assim como a concepção determinista se sente incompatível com ele e, por isso, o nega", diz Freire, em Pedagogia da Esperança.

Que essa sua exortação se constitua em motivação suficiente para cada professor e cada professora continuar a tarefa desafiante do processo dialógico da aprendizagem: possibilitar todos os dias, a cada aluno e a todos os alunos, uma descoberta e uma visão mais completa e complexa do mundo e da sociedade.

O legado - II

POLÍTICAS CURRICULARES: NOVOS OLHARES

por Ana Maria Saul e Antônio Fernando Gouvêa da Silva

Freire defende uma intervenção pedagógica democrática e emancipatória na prática educativa convencional, adotando-se um currículo que parta do conflito vivenciado para tornar-se significativo, contextualizado e crítico

No momento atual em que se rediscute o papel da escola perante os novos desafios da sociedade, múltiplas direções convivem e conflitam, exigindo posicionamentos dos educadores. Ao lado de um discurso que reconhece a escola como uma instituição cada vez menos potente, tendo o seu papel cultural enfraquecido, é forte o discurso que valoriza novas responsabilidades para essa instituição. Na esteira dessas novas responsabilidades estão compromissos que enfatizam o papel da escola diante da vulnerabilidade de outras esferas de socialização, como a família e a comunidade. Apresentam-se temas ou bandeiras de luta a favor da igualdade de gênero, contra o racismo, em favor da educação para a paz, em defesa da identidade cultural e outros. Ainda, convive-se com um discurso no qual se discute o papel da escola na sociedade do conhecimento, entendendo-se nesse contexto uma ênfase no cultivo do saber, no prazer do seu descobrimento. No tocante à sociedade brasileira, porém, é fundamental que a análise desses discursos seja feita considerando que um dos maiores débitos socioculturais observados na história de nossa sociedade é com a educação pública de qualidade. Os interesses econômicos das elites sempre se sobrepuseram às necessidades concretas dos cidadãos. Assim, não é por acaso que se constata a baixa escolaridade da população, como revelam os índices da educação básica.

Nas obras de Freire é possível evidenciar a denúncia desses interesses, ou seja, o atendimento parcial dos socialmente alijados, que passarão a ter o "privilégio" de pertencer ao mercado de trabalho e de consumo durante um determinado período do ciclo economicamente ativo.

Segundo Freire, o currículo convencionalmente concebido e praticado na educação básica da escola pública brasileira está comprometido com um processo de ensino-aprendizagem "bancário", no qual o educador "deposita" conteúdos descontextualizados e sem significação crítica sobre educandos passivos e subservientes ao status quo social. Só assim as crianças e adolescentes, excluídos da vida sociocultural e da escola, continuarão a aceitar tal situação como legítima e justa, assumindo a responsabilidade pelo seu próprio fracasso.

Nesse sentido, segundo Freire, para consubstanciar essa racionalidade sociocultural sectária é fundamental desenvolver práticas pedagógicas que estimulem constantemente a descaracterização e a negação dos sujeitos nelas envolvidos, bem como dos seus respectivos contextos socioculturais. Para tanto, é necessário desencadear processos e métodos que despersonalizem e desacreditem os agentes da construção pedagógica, ou seja, que atuem de forma a legitimar o senso comum de aceitação passiva das condições existentes, da "coisificação", da baixa autoestima de todos os envolvidos. Para o êxito de tal empreitada tanto educadores quanto educandos precisam ser constantemente convencidos de sua incapacidade em construir sua prática educativa, construir conhecimento e fazer análises socioculturais.

Tal processo, comprometido com a desumanização, desvela-se na análise da rotina pedagógica em suas diferentes dimensões políticas, ou seja, no acesso ao espaço escolar, na forma como as decisões são tomadas, na distribuição das competências decisórias, na priorização do administrativo e do burocrático em detrimento do pedagógico, na forma como são concebidas as programações e realizadas as práticas de ensino-aprendizagem etc.

O grande desafio para a educação brasileira, hoje, está na reinvenção de um currículo numa perspectiva crítica, que se comprometa com valores de liberdade, de democracia e de não discriminação. Não se trata, apenas, de fazer uma revisão curricular, no sentido estrito do termo, ou seja, alterando tópicos de conteúdo, mas, também, comprometer-se com novas formas de elaboração, implantação, desenvolvimento e avaliação do currículo e formação de educadores, coerentes com a concepção crítico-emancipadora do currículo.

Neste artigo, apresentaremos denúncia e anúncio, discutindo, inicialmente, as implicações da "educação bancária" e indagando: quais são os critérios utilizados na seleção do conhecimento sistematizado usualmente ministrado pelas escolas? Com quais intencionalidades e interesses estão comprometidos? Quais são os métodos utilizados? Ou seja, devemos saber quais são os contextos políticos e socioculturais das práticas escolares vigentes. Na sequência, discutiremos perspectivas de superação, apresentando a construção crítica de políticas de currículo como processo na formação de educadores, a partir da análise da proposta pedagógica de Paulo Freire.

A DENÚNCIA: A POLÍTICA DA ADAPTAÇÃO SOCIAL NA PRÁTICA EDUCATIVA DESCONTEXTUALIZADA

Para Freire, na organização do fazer educativo convencional há prevalência da troca de interesses individuais, administrativos, funcionais e tendência a minimizar as implicações político-pedagógicas nas formas de sistematizar os momentos de construção coletiva da comunidade escolar. Participação e negociação, legítimas entre os diferentes segmentos na implementação da prática, são negadas. Perpetuam-se contradições sociais, constantemente ocultadas, mantendo-se as relações de poder mimetizadas em discursos pedagógicos e pragmáticos evasivos, que redundam em uma degenerescência da consciência crítica que o diálogo proporcionaria nas práticas curriculares concretas.

Como consequência ocorre a aceitação tácita das contingências dos espaços institucionais, que não podem ser organizados de forma diferente dos contextos político-educacionais vigentes – opressores, omissos e displicentes –, das condições materiais precárias, da superlotação das salas de aula – que limita possibilidades de práticas educativas inovadoras –, de uma jornada de trabalho fora e em sala de aula estafante. São aceitas, sem questionamentos, as condições que impossibilitam um planejamento coletivo de práticas educativas, o que leva o educador a optar por uma simplificação, reducionista e redundante, no preparo das aulas. A tradição cultural da escola procura manter imutáveis as relações sociais e educativas, as relações sociais instituídas que não questionam a hierarquização do processo de profissionalização da prática docente, empírica e desvalorizada, em que são preferenciais os comportamentos de controle e dominação dos sujeitos em detrimento da qualificação do processo de ensino/aprendizagem.

Outra consequência é a rejeição da prática curricular como prática política, independentemente da modalidade de ensino. Não são questionadas as implicações ideológicas, axiológicas e epistemológicas das opções pedagógicas para uma educação voltada à formação de "futuros" cidadãos, e não de sujeitos concretos que possam atuar de forma crítica e transformadora em seu contexto histórico contemporâneo.

O trabalho coletivo é desvalorizado, concebido como atividade burocrática e secundária, desqualificado para a organização e construção tanto do planejamento pedagógico, quanto do processo ensino-aprendizagem, resultando no empobrecimento das relações da escola com a comunidade, no conselho de escola, nas atividades e nas práticas curriculares dentro e fora da sala de aula.

Nesse sentido, Freire denuncia que a dimensão organizacional é concebida como competência exclusiva de especialistas, distante, desconexa e alheia ao processo pedagógico desenvolvido rotineiramente e às metodologias que a fundamentam na construção do conhecimento. Ou seja, haveria uma tendência cultural e epistemológica da escola que procura incorporar qualquer inovação de forma linear, mecânica, como continuidade ao paradigma educacional anterior – a falta de discernimento dos pressupostos e compromissos político-filosóficos das diferentes propostas pedagógicas faz com que todas sejam entendidas como um aperfeiçoamento instrumental e harmônico da já existente, quer dizer, seriam mudanças e reformas graduais e não propostas que envolvem reconceptualizações e práticas transformadoras. Não haveria, portanto, uma organização consciente de resistência coletiva e reativa às condições institucionais no que concerne às condições profissionais em relação intrínseca com a reassunção da autoria das práticas pedagógicas na conquista da autonomia política.

Ou seja, se a educação está sempre comprometida com uma intencionalidade, que transita entre polos socioculturais – adaptação ou transformação –, não há como negar as implicações sociais das práticas pedagógicas em relação a seu caráter conformista ou intervencionista na construção ou desconstrução epistemológica de sentidos e significados socioculturais, comprometidos ou não com a justiça social, com a ética, com a democracia. A adaptação corresponde à dimensão do recorte que se objetiva epistemologicamente, que se transmite a partir da tradição cultural fragmentária que delimita previamente significados, organizando práticas sociais e ordenando sentidos culturais. A fragmentação traz consigo a demanda do isolamento, da seleção; ao priorizar o particular enfatiza o momento, o pontual. A história da parte secundariza contextos, intenções, relevâncias, relativizações. Um pragmatismo reducionista, apressado, faz uso exclusivo do empirismo como sustentáculo, como verdade. Toda fragmentação se origina de uma totalidade que, explícita ou implicitamente, conscientemente ou não, foi reduzida, relativizada ou desprezada.

Resumidamente, podemos dizer que a análise crítica das políticas públicas e de suas propostas e reformas curriculares possibilita caracterizar como as especificidades pedagógicas, epistemológicas, culturais se inter-relacionam nas dimensões sociais e econômicas do espaço escolar e, fundamentalmente, como os interesses políticos se estabelecem em tais relações curriculares, reconstituídas a partir de abordagens históricas e conjunturais.

O ANÚNCIO: A CONSTRUÇÃO CURRICULAR CRÍTICA E A FORMAÇÃO PERMANENTE DOS EDUCADORES

É na perspectiva da superação de tais dificuldades que o projeto pedagógico crítico de Freire apresenta-se como alternativa. Entretanto, essa superação não pode ser concebida como um produto que, de forma linear, mágica e imediata, resolve todos os problemas. Antes, trata-se de uma proposta de formação permanente que visa desencadear junto ao grupo-escola um posicionamento crítico-prático em relação às necessidades e às contradições por ele vivenciadas, e os encaminhamentos concretos para a conquista da autonomia. Dessa forma, o novo fazer proposto revela a existência das questões anteriormente mencionadas a partir das dificuldades enfrentadas durante o processo. Assim, Freire assume a defesa de uma intervenção pedagógica democrática e emancipatória na prática educativa convencional, na perspectiva de um currículo que parta do conflito vivenciado para tornar-se significativo, contextualizado e crítico.

De forma sintética, passaremos a assinalar diretrizes gerais que norteiam um movimento de reorientação curricular em uma concepção educacional libertadora de Freire: a tomada de consciência das implicações político-pedagógicas da prática tradicional e a construção de um novo paradigma curricular e sua respectiva implementação.

Todos os momentos são construídos e planejados coletivamente por meio do diálogo entre os educadores, organizados e orientados por princípios democráticos e pelos pressupostos pedagógicos de sua proposta curricular. Ao concretizar o que planejou, o educador rompe com a dicotomia e o anacronismo entre o refletir e o agir, tornando-se sujeito de sua história coletiva. É o planejado-concreto que nutrirá o desvelar de novas contradições, suscitando reavaliações e replanejamentos coletivos. Para ele, portanto, a problematização crítica das práticas pedagógicas cotidianas é um início promissor para a construção de um projeto curricular coletivo.

Evidentemente, contradições, conflitos significativos, conteúdos, metodologias e a organização coletiva dos educadores articulam-se organicamente em um todo na prática pedagógica, construindo no fazer o seu sentido. Tomados como diferentes mirantes de observação do fazer escolar cotidiano esses elementos podem ser compreendidos como dimensões para melhor sistematizar a análise dessa prática na perspectiva de um desvelamento do currículo vivenciado e, simultaneamente, como ponto de partida para novas proposições curriculares de reconstrução política do fazer pedagógico, do educar para a emancipação.

Para Freire, o novo fazer, comprometido e inserido em uma realidade concreta, deve basear-se na denúncia das situações conflituosas e contradições, deve explorar pedagogicamente limites e tensões epistemológicas dos paradigmas de sua comunidade, partindo de seus problemas e necessidades. Em síntese, essas são práticas, procedimentos e dificuldades que o educador precisa aprender a explorar de forma sistematizada com seus pares e com os outros segmentos escolares, encarando lacunas e brechas de um determinado contexto educacional específico, na perspectiva de ocupar politicamente os espaços que os padrões preestabelecidos não conseguem preencher, criando o novo e organizando democraticamente sua comunidade escolar. Tais procedimentos devem apresentar coerência político-pedagógica interna nos diferentes espaços-tempos – práticas de sala de aula, reuniões pedagógicas e de planejamento, conselhos de classe e escolares, reuniões com a comunidade, grêmios estudantis, encontros dos educadores com equipes pedagógicas de secretarias da Educação, fóruns democráticos de construção das políticas educacionais etc. –, que organizam e orientam os fazeres dos diferentes sujeitos envolvidos nesses movimentos de reorientação curricular comprometidos com a humanização e a transformação social. Viabiliza-se, assim, o "como fazer" diferente. A proposta de construção curricular que se desencadeia tem na práxis sua principal referência político-pedagógica.

Em seu anúncio de uma educação como prática da liberdade, o currículo significativo jamais será definitivo, será, isto sim, o resultado de construções/reconstruções coletivas, históricas, sujeitas a sucessivas análises e modificações. Na construção do conhecimento, lembramos apenas daquilo que nos faz sentido, dos conteúdos apreendidos no uso dinâmico e constante em contextos socioculturais vivenciados. Embora geralmente reconheçamos tais aspectos, não são esses os critérios de seleção dos conhecimentos adotados pela pedagogia escolar tradicional, mesmo quando evoca a formação para a cidadania.

Portanto, essa organização curricular participativa e permanente envolve processos contínuos, caracterizados por sucessivas problematizações e sistematizações de conhecimentos e conteúdos na busca de níveis cada vez mais complexos e relacionais de conscientização e de intervenção crítica na realidade educacional e social, sendo estas concebidas como em constante construção.

Discordando da epistemologia convencional – que reduz a realidade específica, simplificando-a e descontextualizando-a –, a proposta pedagógica de Freire fundamenta-se em uma epistemologia de construção curricular emancipatória, preocupada com o resgate e a reconstrução coletiva de corpus teóricos que concebem essa apreensão da realidade como um processo que, partindo de um contexto específico, envolve sucessivas articulações interdisciplinares entre conhecimentos de diferentes campos do saber como forma de superar os limites de compreensão da realidade analisada.

A perspectiva inicial de sua abordagem curricular é trazer para o plano da consciência o mundo sociocultural e conceitual no qual vivem os sujeitos, de forma a eles poderem, num sentido mais amplo, conversar criticamente sobre os porquês de seus conflitos e contradições. Assim, os discursos socioculturais evasivos, descolados da prática, passam a ser discursos que levam a reflexões e resgatam a autoria dos sujeitos no fazer educativo.

Para Freire, ter a práxis como fundamento curricular exige a coerência metodológica de partir com os sujeitos construtores do fazer em busca dessas respostas. Esse movimento demanda o resgate do discurso dos autores da trama sociocultural escolar. A consciência por parte dos educadores da necessidade de buscar os diferentes discursos e falas reveladoras das visões e concepções de todos os segmentos envolvidos revela tanto a necessidade da mudança da prática educativa, quanto suscita o primeiro momento de reconstrução do currículo via temas geradores, o qual visa à transformação almejada, ou seja, o resgate das falas significativas dos alunos e da comunidade na perspectiva de identificar limites explicativos e as respectivas concepções reversas reveladoras das contradições sociais correspondentes – situações-limites identificadas no processo de pesquisa qualitativa denominado pelo autor de investigação temática.

Essa concepção de currículo como prática política cultural significativa procura, por meio da problematização das falas, trazer à tona os diferentes conflitos observados na comunidade e na escola, que muitas vezes encontram-se mascarados ou reprimidos, caracterizando-se agora também como um currículo dos conflitos concebidos como situações-limites, carentes de superação.

CONFLITO PROBLEMATIZADO

Nesse processo, procura-se ressignificar e devolver à prática sociocultural seu caráter de humanização coletiva, desvencilhando-a de seu papel alienador. Desta forma o conflito sociocultural vivenciado, ao ser radicalmente problematizado, pode desvelar contradições sociais ao apresentar os espaços e as instituições socioculturais comunitárias como "arenas políticas" de disputa de poder na perspectiva da manutenção ou da superação das desigualdades e injustiças sociais vivenciadas.

A problematização do conflito, nesse currículo, compromete-se com o desvelamento das disputas presentes na comunidade, atuando em dois sentidos: desconstruindo historicamente os conflitos e construindo identidades. Ou seja, por um lado corresponde a uma metodologia que privilegia o cerco epistemológico para o resgate sociocultural endógeno dos conflitos, possibilitando a revelação de intencionalidades, interesses, e a desconstrução sócio-histórica dos paradigmas em litígio. Por outro, evidencia identidades socioculturais entre membros da comunidade, em suas representações, sentidos e significados, amálgamas das resistências coletivas e da solidariedade. É essa problematização que promove a percepção de lacunas em tais tramas de sentidos e significados, que se expressa na necessidade epistemológica de partir à procura de uma nova teorização ordenadora e reveladora da realidade.

Não se trata de uma transmissão passiva e cumulativa de conteúdos e conhecimentos acríticos que compõem uma produção teórica acabada. Tal empreendimento exige dos envolvidos um comportamento epistemológico humilde e curioso no fluxo de informações e nos confrontos conceituais oriundos de diferentes matizes teóricos, caracterizando campos férteis de distanciamentos e embates, de tensões e de interseções culturais e epistemológicas que, problematizando e incorporando as teorias anteriores, deslocam-se no sentido da nova construção curricular.

Para tanto, o autor enfatiza que se faz necessária uma decomposição pertinente das áreas do conhecimento implicadas com a "reconstrução articulada" da temática geradora em análise. Procura-se romper com a tradição cultural seletiva da escola, colocando o acervo de conhecimentos sistematizados das áreas à disposição dos sujeitos, e não estes subordinados a conteúdos preestabelecidos. É nesse sentido que o processo de redução temática evidencia a necessidade tanto de selecionar conhecimentos requeridos pela problematização em curso quanto priorizar, não apenas produtos da ciência, mas seus processos de construção. A busca de conceitos interdisciplinares, a partir da História e da Filosofia das disciplinas, procura auxiliar esse resgate crítico da epistemologia das áreas.

Para Freire a conscientização não está baseada na cisão entre consciência e mundo, mas na relação entre ambos, no ato de "tomar posse da realidade", em "desmitologizá-la". No processo de redução temática – "cisão dos temas em partes para, voltando-se a ele como totalidade, melhor conhecê-lo", escreve Freire em Pedagogia do Oprimido – há um processo sucessivo de aproximação e de apreensão das contradições em que os indivíduos estão envolvidos.

UMA NOVA CONCEPÇÃO

Portanto, na redução temática a perspectiva é a construção de programações e atividades que possibilitem orientar, de forma orgânica, um plano de ações para a construção da prática pedagógica, relacionando e contextualizando concepções da realidade estudada e os processos/produtos dos conhecimentos elaborados. Esse fazer pedagógico procura explicitar como os aspectos sócio-históricos e culturais devem balizar a seleção dos tópicos pertinentes do conhecimento universal – os conteúdos interdisciplinares – às situações-limites apontadas pela comunidade escolar durante o processo de investigação temática.

O currículo passa a ser, então, concebido como práticas socioculturais coletivamente construídas pelos sujeitos sócio-históricos inseridos em um determinado contexto concreto de realidade; esses sujeitos fazem opções, planejam, organizam e desencadeiam fazeres, sempre comprometidos com uma determinada concepção de sociedade e de mundo. Coerentemente, em sala de aula, o processo de ensino-aprendizagem decorrente dessa forma dialética de conceber a prática curricular deve estar apoiado na interação dialógica entre os diferentes sujeitos envolvidos – mediados pelos seus saberes e discursos – que, em busca de compreensões e de intervenções críticas sobre uma realidade concreta que requer transformações, constroem conhecimentos significativos, planejam, avaliam e realizam ações.

Nessa dinâmica de reorientação da prática educativa como processo de formação permanente dos educadores, o objetivo de construir coletivamente currículos com base num projeto pedagógico democrático e popular é transformar o espaço social escolar, construir unidades possíveis, refletindo sua diversidade. É conceber a prática educativa como uma totalidade, uma prática social e histórica, interface antropológica entre distintas teias de significados, detentora de uma cultura que possui especificidades substanciadas em uma epistemologia social constituída de momentos – de continuidades e de superações –, uma prática intencional e comprometida com determinadas visões de homem e de mundo, e com diferentes interesses sociais, econômicos, étnicos e de gênero, tradicionalmente comprometidos com a hegemonia e com a ideologia de classes e de grupos detentores do poder e, por conseguinte, uma prática passível de mudanças a partir da análise de seus conflitos e contradições e da ação de seus sujeitos históricos. Trata-se, portanto, de uma formação político-pedagógica em processo, a partir de reflexões e de "autocríticas", ao fazer uma prática curricular em permanente construção e reconstrução.

Essa proposta curricular humanizadora anunciada por Freire evidencia que só uma escola cuja prática esteja embasada em princípios democráticos de acesso aos bens e na garantia da diversidade e do diálogo sociocultural arraigado na construção crítica do conhecimento, na justiça social e na ética, pode contribuir para a formação de sujeitos históricos comprometidos com a transformação da realidade, em busca da igualdade social almejada.

O legado - III

CULTURA E IDENTIDADE EM TEMPOS PÓS-MODERNOS

por Cintya Regina Ribeiro

A aposta na conscientização crítica ou na desconstrução discursiva seriam, antes de tudo, modos distintos de resistência diante das condições de opressão

A potência de um autor se afirma na medida mesma das ressonâncias e dissonâncias que seu pensamento provoca para além de seu próprio tempo. Paulo Freire é um desses casos. A força de sua obra se traduz também por meio dos desdobramentos que ultrapassam seus traçados originais, ou seja, daquilo mesmo que, por ser singular, nos incita a um pensar outro.

A dimensão ético-política de sua práxis ancora-se no pressuposto irredutível da consciência humana como vetor articulador da historicidade das formas de vidas sociais. Seu pensamento situa-se num horizonte de diálogo entre o marxismo humanista aliado à fenomenologia existencialista, voltando-se à crítica dos processos históricos de dominação econômica e cultural bem como em relação ao lugar da educação nesse cenário.

Estabelecendo uma distinção radical entre uma "educação bancária", implicada com a conservação da ordem social e uma prática educativa problematizadora, comprometida com a transformação das formas de vida, Freire defende a soberania do processo de conscientização do educador e do educando como condição de sua emancipação como sujeitos históricos.

Uma das estratégias formativas desse sujeito encontra-se exatamente no desenvolvimento de sua capacidade de percepção crítica em relação ao mundo e a si mesmo. Em seu trabalho clássico, Pedagogia do Oprimido (1987), a dimensão perceptiva do homem como prática política se explicita na ideia de "uma percepção que é capaz de perceber-se". A formação crítica advém desse movimento de retroalimentação entre o pensar e o agir, ou seja, é no ato mesmo de percepção e de objetivação de sua realidade que os homens tornam-se capazes de se perceberem como sujeitos históricos, acionando estratégias de superação dessa "falsa consciência do mundo" e de consequente libertação de sua situação de opressão. Portanto, a conscientização do mundo e de si mesmo como ser no mundo constituem a pedra de toque desse processo emancipatório.

Em sua obra A Importância do Ato de Ler (1989), o educador brasileiro parece estender essa temática da percepção a partir da proposta da leitura como ato crítico. Fundamentando-se numa compreensão dialética entre leitura do mundo e leitura da palavra, ele defende a correlação dinâmica entre linguagem e realidade, texto e contexto.

O mundo constitui lugar de mediação das relações educativas e estas, em sua acepção libertadora, demandam necessariamente uma atitude dialógica entre os homens – daí o princípio de que o ato de educar não seria prerrogativa de ninguém; ao contrário, mediatizados pelo mundo, "os homens se educam entre si". É nessa perspectiva que a proposição do uso de palavras e temas geradores, para além de mero recurso metodológico de aprendizagem, opera como estratégia política de articulação da realidade do mundo social com a consciência do homem em seu ser histórico.

Essa premissa educativa parece-nos nuclear para o entendimento do modo como Freire apreende certas questões-chave em educação – privilegiadamente, as discussões acerca do sujeito e do conhecimento.

O investimento educativo na consciência supõe, num só movimento, a apreensão de si e do mundo. Esse duplo caráter constitui o ato mesmo do conhecer. Na medida em que esse processo do conhecimento traz à consciência do homem a condição material de seu mundo, bem como de seu lugar nesse mundo, possibilita-lhe, dialeticamente, a produção de condições históricas de transformação de formas de existência.

A evocação da consciência do sujeito educacional como ser histórico e a valoração do ato de conhecer como processo de conscientização frente às necessidades civilizatórias da condição humana têm reverberado em maior ou menor grau nas abordagens pedagógicas de orientação crítica. No limite, a discussão sobre a relação do sujeito com o conhecimento é de ordem política, pois evoca o debate acerca da constituição da identidade no campo educacional.

Ainda que implicadas numa atitude crítica, as apostas civilizatórias na consciência (como condição humana identitária) e no conhecimento (como possibilidade de representação e apreensão da verdade) têm sido alvos de problematização na contemporaneidade, por parte da arte, da filosofia e das ciências humanas.

A crítica à soberania da razão tem colocado em xeque a premissa de centralidade de um sujeito da consciência, ainda que historicamente referenciado. Consequentemente, o próprio ato do conhecer como condição de acesso à verdade torna-se incerteza, na medida em que a consciência não pode mais constituir-se como baliza frente ao mundo. Os efeitos dessas reflexões na atualidade têm sido irreversíveis.

ALGUMAS TENSÕES CONTEMPORÂNEAS

Do século XIX até o presente, a crítica à centralidade do sujeito racional tem se apresentado sob diversos matizes. Gostaríamos de destacar tão somente dois aspectos desse debate para situarmos os problemas relativos à identidade e, particularmente, à identidade educacional no cenário contemporâneo.

O primeiro deles remete à crítica às metanarrativas constitutivas da modernidade, crítica esta formulada pelo filósofo francês Jean-François Lyotard em A Condição Pós-Moderna (2000), originalmente publicada em 1979. Nesse trabalho, o pensador discute as transformações contemporâneas na cultura, referindo-se àquilo que denomina "crise de relatos", ponto de inflexão entre uma condição moderna e uma pós-moderna. Argumenta que o pensamento moderno opera metadiscursivamente de modo a imputar legitimidade ao ato de conhecer. Para Lyotard, "quando este metadiscurso recorre explicitamente a algum grande relato, como a dialética do espírito, a hermenêutica do sentido, a emancipação do sujeito racional ou trabalhador, o desenvolvimento da riqueza, decide-se chamar moderna a ciência que a isso se refere para legitimar".

Esse jogo metadiscursivo que tem sustentado nossos cânones de verdade constitui o horizonte das chamadas metanarrativas da modernidade. Por derivação, Lyotard define como condição pós-moderna "a incredulidade em relação aos metarrelatos".

No limiar dessa "crise dos relatos" sugerida por Lyotard como marca de um ethos pós-moderno são suspensas as metanarrativas mestras que conferiam lastro a um suposto sujeito do conhecimento. Aqui, nem o sujeito nem a produção de sua ação de conhecer oferecem solidez à condição de impermanência do mundo.

O segundo ponto a ser destacado desse debate refere-se à "virada linguística", movimento analítico ocorrido na filosofia do século XX que efetua uma crítica ao caráter metafísico da linguagem, buscando tomá-la pragmaticamente em relação às suas condições de "uso" e ao seu contexto de enunciação. Isso pressupõe colocar em causa uma concepção de linguagem como operação metafísica de representação do mundo. Supõe também problematizar o caráter de autonomia de um suposto sujeito da linguagem, essencializado, idealizado como fonte do pensar e do agir.

Em sua obra Documentos de Identidade (2002), Tomaz Tadeu da Silva comenta que a "virada linguística" desloca a consciência humana de seu lugar de fonte do significado e, ao mesmo tempo, posiciona a linguagem e os dispositivos discursivos como articuladores dos processos de definição da realidade.

Podemos afirmar que esse desalojamento das filosofias da consciência em favor de uma analítica da linguagem redimensiona de modo radical a problemática da significação – focalizam-se os processos linguísticos de produção do significado em detrimento de um suposto sujeito humanista como lugar ontológico de produção do significado.

Tal salto, ao dispor os processos linguísticos à frente da cena, produz efeitos radicais no modo de concepção da verdade – a verdade será tomada, antes, como efeito de jogos de linguagem travados nas contingências históricas. A prevalência da analítica da linguagem no modo de entendimento da verdade torna-se, assim, o golpe que desestabilizará irreversivelmente as categorias modernas de sujeito e de conhecimento.

Nessa perspectiva, a contemporaneidade não mais ofereceria a segurança moderna da aposta no conhecimento como lugar de libertação do sujeito da razão, na medida em que a própria concepção dessa suposta verdade do conhecer encontra-se sub judice.

Retomemos nossa problemática, pois. Apontamos dois aspectos do debate contemporâneo – a crise das metanarrativas e a "virada linguística" – implicados no modo de concepção de identidade e, particularmente, de identidade educacional. Embora distintos, ambos guardam uma mesma ressonância: uma crítica radical à metafísica linguística e a indispensável necessidade de problematização da linguagem nos processos de produção da verdade; disso emerge a descrença na ontologia do sujeito da consciência e instala-se a desconfiança em relação à autoridade do conhecimento como lugar "metanarrativo" da verdade.

As derivações históricas dessa perda referencial moderna – seja em relação ao estatuto do sujeito ou do conhecimento, mas sobretudo a partir da problematização da própria produção da verdade – têm apontado, na contemporaneidade, para múltiplas e acirradas discussões em torno da questão identitária.

O sociólogo polonês Zygmunt Bauman realiza um instigante diagnóstico desses tempos atuais, ao lançar mão da metáfora da fluidez. Em sua obra Identidade (2005), Bauman qualifica nosso momento histórico como o "líquido mundo moderno das identidades fluidas". Explica-nos: "Houve um tempo em que a identidade humana de uma pessoa era determinada fundamentalmente pelo papel produtivo desempenhado na divisão social do trabalho, quando o Estado garantia [...] a solidez e a durabilidade desse papel". Eis a força das metanarrativas modernas a assegurarem a fixidez e estabilidade do papel identitário dos sujeitos sociais, por meio da solidez das estruturas institucionais.

Bauman sustenta, em várias obras, que estaríamos passando de uma fase "sólida" da modernidade para uma fase "líquida", cujo tom seria a "liquefação" tanto das instituições quanto das identidades. Essa condição de impermanência da vida humana, por embaralhar os lugares pessoais e sociais, confere ao sujeito uma identidade cuja marca é, paradoxalmente, a instabilidade de sua fluidez identitária.

Essa contingência contemporânea torna inviável quaisquer possibilidades de aposta numa identidade concebida como consciência centrada. Nesse ambiente de volatilização, cuja dinâmica pressupõe a transitoriedade, a brevidade, o efêmero, Bauman nos chama a atenção para as estratégias de vida aí configuradas: "como Ralph Waldo Emerson já advertia muito tempo atrás, se você está esquiando sobre o gelo fino, a salvação está na velocidade". Assim, afirmar a própria identidade como esse estado de fluidez apresenta-se como um dos maiores desafios de nossos tempos, seja na esfera da vida pessoal ou social.

Dado tal cenário, sugerimos agora a retomada do imperativo ético-político proposto por Paulo Freire – qual seja, a questão da conscientização educativa como condição de emancipação social – a partir de um diálogo necessário com as discussões atuais sobre a temática da identidade.

CULTURA E IDENTIDADE

Essa condição de pulverização identitária tem sido foco de atenção no pensamento das humanidades, no rastro de uma problematização mais extensa que se refere ao sujeito contemporâneo e sua vida política.

Considerando nosso percurso argumentativo, podemos afirmar que, de um lado, o investimento na concepção de um sujeito da consciência, principal fundamento humanista que perpassa a obra de Paulo Freire, tem se configurado como um solo movediço na arena das subjetivações contemporâneas. Por outro lado, independentemente das vertentes epistemológicas assumidas pelo educador brasileiro, podemos afirmar que suas problematizações políticas a respeito da identidade do sujeito social ultrapassaram as fronteiras de seu tempo.

Em Documentos de Identidade, Tomaz Tadeu da Silva realiza uma breve incursão no trabalho de Freire situando alguns efeitos de suas ideias no âmbito de questões atuais vinculadas às temáticas de cultura e currículo. Diz-nos o pesquisador: "se Paulo Freire se antecipou, de certa forma, à definição cultural do currículo que iria caracterizar depois a influência dos Estudos Culturais, pode-se dizer também que ele inicia o que se poderia chamar, no presente contexto, de uma pedagogia pós-colonialista ou, quem sabe, de uma perspectiva pós-colonialista sobre currículo".

Essa interessante hipótese analítica deve-se à relevância da crítica da cultura perpetrada pelo pensamento pedagógico de Freire. Ao demarcar que as relações de poder entre grupos dominantes e dominados são acionadas por dispositivos culturais, o educador teria aberto novos estudos para problemáticas curriculares subsequentes.

Essa preocupação com o domínio da cultura como lugar de efetivação de relações de poder foi expressa de modo preciso por Freire, em Pedagogia do Oprimido, ao abordar a "invasão cultural" e a estratégia de poder implícita nessa dominação: "invasão é uma forma de dominar econômica e culturalmente o invadido. [...] é importante, na invasão cultural, que os invadidos vejam a sua realidade com a ótica dos invasores e não com a sua. Quanto mais mimetizados fiquem os invadidos, melhor para a estabilidade dos invasores".

A questão da "invasão cultural" como estratégia de poder dos grupos dominantes frente aos dominados, já presente intensivamente na temática de Freire, constitui o eixo dos chamados estudos pós-colonialistas em educação. Esses trabalhos contemporâneos, agrupados sob o signo de uma "pedagogia pós-colonialista", têm sido caracterizados pela ênfase na crítica às relações de poder entre países colonizadores e colonizados.

Para além dessa aproximação temática, gostaríamos de evidenciar outro espaço de ressonância entre as questões de Freire e os dilemas contemporâneos: trata-se da articulação entre cultura e identidade.

Ao abordar a invasão cultural, chama-nos a atenção a ênfase dada por Freire ao modo como as construções identitárias se sucedem entre invasores e invadidos. A visão que os dominados constroem de si mesmos como seres assujeitados é efeito da ótica do invasor, a partir da qual se orientam em virtude da eficácia da dominação cultural.

Assim, a chave para entendimento desse processo de dominação encontra-se no domínio da cultura, no modo como os valores culturais operam na produção de identidades bem como na configuração do campo de ações possíveis dos sujeitos sociais. Daí a necessária articulação crítica entre cultura e educação. O objetivo do uso de palavras ou temas geradores como prerrogativa dos processos educacionais inscreve-se nessa lógica de implicação entre cultura, educação e identidade.

Podemos derivar, do legado de Freire, que as formas de enfrentamento social das estratégias de dominação cultural demandam, prioritariamente, uma incursão nos problemas de produção de identidade. Em Pedagogia do Oprimido, o educador estabelece o seguinte princípio: "é preciso que o eu oprimido rompa essa quase aderência ao tu opressor, dele 'afastando-se', para objetivá-lo, somente quando se reconhece criticamente em contradição com aquele".

O caráter relacional do jogo identitário, disputado no campo da cultura, aqui se apresenta intensivamente. Contra essa estratégia de poder que sequestra a identidade dos oprimidos, o educador propõe a "revolução cultural" – um trabalho máximo de conscientização social de modo a fomentar o poder revolucionário em larga escala. Por meio dessa revolução, busca-se a libertação dos espectros que nublam a consciência, falseando-a. Dialeticamente, esse trabalho de conscientização se faz "na e pela revolução cultural", exprimindo-se assim a incondicional aposta humanista na mudança qualitativa da percepção do mundo como vetor de transformação social.

Embora no pensamento de Freire a forma de resistência à opressão se constitua a partir dos movimentos de percepção, objetivação, conscientização crítica e ação – pressupostos questionáveis em territórios pós-modernos – faz-se necessário afirmar a relevância dessa abordagem, sobretudo em sua dimensão política, para o quadro analítico das questões contemporâneas sobre cultura e identidade.

Os ecos de seu pensamento no presente advêm do modo como o educador operou com o conceito de cultura. Por tomar a cultura em seu sentido antropológico (o resultado de qualquer trabalho humano), essa abordagem rompeu as fronteiras entre cultura erudita e popular. Com isso, redimensionou-se o universo dos valores – trata-se de uma abordagem das "culturas" e não mais da "cultura" – levando à maior fundamentação crítica frente à dominação exercida por certos grupos culturais.

Discussões sobre a diversidade das formas culturais, bem como das identidades aí forjadas, têm sido objeto de um campo atual de pesquisas denominado Estudos Culturais, os quais se orientam por uma perspectiva política de questionamento das relações de poder que tornam implicadas as categorias de cultura e identidade.

Tomaz Tadeu da Silva afirma, em Documentos de Identidade, que na perspectiva dos estudos culturais, "a cultura é um campo de produção de significados no qual os diferentes grupos sociais, situados em posições diferenciais de poder, lutam pela imposição de significados à sociedade mais ampla. [...] O que está centralmente envolvido nesse jogo é a definição da identidade cultural e social dos diferentes grupos".

Por essa razão, cultura e identidade, no debate atual, são temáticas indissociáveis da análise de relações de poder, uma vez que, no limite, trata-se de se defrontar com disputas pela prevalência de significados sociais que possam ser alçados à condição de valores.

Entretanto, a despeito das ressonâncias temático-políticas entre o trabalho de Freire e os Estudos Culturais, particularmente quanto à articulação entre cultura e identidade, é preciso tocar as singularidades de abordagens.

Na perspectiva dos Estudos Culturais, Stuart Hall, no trabalho intitulado Quem Precisa de Identidade? (2000), ao discutir os deslocamentos das identidades modernas avalia que "elas são, na modernidade tardia, cada vez mais fragmentadas e fraturadas; que elas não são nunca singulares, mas multiplamente construídas ao longo dos discursos, práticas e posições que podem se cruzar ou ser antagônicos".

Essa ideia de fragmentação identitária parece-nos estratégica. A condição de fratura justifica-se pelo caráter de diversidade da própria malha cultural que organiza o mundo social contemporâneo. As múltiplas posições identitárias são efeitos dos diversos – e muitas vezes antagônicos – lugares culturais nos quais os sujeitos tornam-se subjetivados. Portanto, o sonho moderno de unidade identitária evanesce frente à tal contingência histórica que, ao validar o jogo de circulação nas múltiplas práticas culturais, faz multiplicar também as possibilidades de "ser".

Em Identidade Cultural na Pós-Modernidade (2003), Stuart Hall esclarece que o atual ambiente de globalização econômica e cultural, por intensificar os contatos entre as populações, tem produzido transformações estruturais nas sociedades modernas, desde o final do século XX. "Isso está fragmentando as paisagens culturais de classe, gênero, sexualidade, etnia, raça e nacionalidade, que, no passado, nos tinham fornecido sólidas localizações como indivíduos sociais."

Esse estilhaçamento identitário seria resultado da implosão da estabilidade das formas de vida modernas. Outro mapa cultural tem se desenhado, multiplicando as possibilidades de posições sociais, bem como de circulação por entre elas, ainda que sejam divergentes.

Hall sinaliza ainda que essas transformações implicam uma mudança no modo de afirmação de nós mesmos, de forma ampla, uma vez que a prerrogativa moderna de consistência ou integridade do sujeito fica comprometida pela perda de um referencial estável de existência – seja no âmbito do mundo sociocultural, seja em relação à própria subjetividade. Essa condição cindida do sujeito contemporâneo tem sido apontada como uma situação histórica de "crise de identidade".

Importante assinalar que essa abordagem tem enfatizado a centralidade da cultura nas análises sobre identidade, o que implica maior atenção à dimensão discursiva nos processos de representação e produção dos sujeitos, em detrimento de uma hipótese analítica de essencialização da consciência. Nessa perspectiva, a identidade estaria muito mais vinculada à sua esfera posicional, no jogo de relações sociais historicamente configuradas, do que atada a uma afirmação da condição de "ser" como um fato existencial a priori.

Esse debate tem sido qualificado como "políticas de identidade". As derivações dessas abordagens no universo da educação contemporânea têm sido sinalizadas pela incidência de discussões que remetem à diversidade ou pluralidade cultural, particularmente na cena política do mundo ocidental.

Abrigadas sob o signo de multiculturalismo, as temáticas culturais e identitárias passam a constituir parâmetros para práticas curriculares orientadas por valores de convivência social num espaço político complexo, acirrado pelas tensões dos contatos interculturais. No Brasil, as proposições suscitadas pelo multiculturalismo têm sido incorporadas nos documentos curriculares nacionais desde a década de 1990.

O multiculturalismo traz um desafio ao campo educacional: lidar com modos de representação e de produção discursiva de identidades culturais em tensão, visando à desconstrução de estigmas geradores de situações de assujeitamento do outro.

Alinhada a tal problemática, a pesquisadora Ana Canen, em seu trabalho intitulado "Sentidos e Dilemas do Multiculturalismo: Desafios Curriculares para o Novo Milênio"(2002), realiza uma análise crítica de certas práticas curriculares qualificadas como multiculturais e recorrentes no cotidiano educacional brasileiro. Considerando as identidades como "construções culturais provisórias e híbridas", a autora aponta a necessidade de que se afirme uma postura multicurricular crítica, a fim de atentar para os riscos de reforço de estereótipos e preconceitos já assentados socialmente. Em outras palavras, práticas multiculturais vivenciadas na seara educacional, quando não avaliadas criticamente, podem produzir, no rebote, efeitos políticos mais conservadores do que transformadores das relações de poder em curso.

Isso ocorre a partir da maneira como se lidam com as diferenças culturais nas relações cotidianas. Certos modos de afirmações identitárias no jogo relacional podem levar, paradoxalmente, à prevalência de soberanias culturais, ou ainda ao estabelecimento de atitudes de vitimização em relação ao outro, considerado em sua suposta condição de fragilização e, portanto, levado a uma despotencialização como sujeito social. Daí a necessidade de uma investida educacional crítica diante das tensões multiculturais, de modo que se possam forjar outros enfrentamentos nas relações de poder que articulam cultura e identidade na atualidade.

RESISTÊNCIAS ÉTICO-POLÍTICAS E A QUESTÃO DO SUJEITO

Afirmamos que a questão política da identidade remete ao horizonte da problematização do sujeito. As singularidades entre, de um lado, a abordagem de Paulo Freire em relação ao lugar da identidade no jogo da libertação e da emancipação social e, de outro, certas tendências contemporâneas de enfrentamento da discussão identitária cunhadas na chave dos Estudos Culturais, oferecem-nos poderosos instrumentos frente às demandas de nosso tempo.

O legado do pensamento de Paulo Freire, particularmente quanto à envergadura ético-política referente à questão da identidade social, é de valor insofismável, sobretudo porque os ecos desse pensamento crítico têm reverberado sob a forma de múltiplos debates curriculares.

A despeito das problematizações epistemológicas trazidas pela filosofia contemporânea, particularmente em relação ao estatuto do sujeito da consciência e da condição do conhecimento como lugar da verdade, é imprescindível situar a obra de Freire como uma empreita de resistência política a ser levada a cabo privilegiadamente na arena educacional.

Nesse sentido, seria um equívoco estabelecermos meras comparações valorativas entre abordagens, uma vez que suas respectivas fundações encontram-se ancoradas na contingência e urgência de seu próprio tempo histórico. Assim sendo, cabe-nos tão somente demarcar as singularidades e possíveis interlocuções dessas potências analíticas, bem como atestar sua qualidade de disposição combativa frente aos efeitos das relações de poder. Assim, poderíamos tomar suas peculiaridades epistemológicas, fundamentalmente, como estratégias distintas de lutas sociais, tendo em vista a problematização da condição do sujeito em relação à história. Em resumo, a aposta na conscientização crítica ou na desconstrução discursiva seriam, sobretudo, modos distintos de resistência frente às condições de opressão.

Excertos

DIMENSÕES POLÍTICAS DA PRÁTICA EDUCATIVA

por Antônio Fernando Gouvêa da Silva

É na prática educativa que o diálogo se concretiza como educação comprometida com a humanização

Qualquer que seja o interesse particular ou o percurso escolhido para realizar uma vista às obras de Freire, o leitor atento sempre observará, tanto no contexto da exposição dialógica dos conceitos pedagógicos apresentados pelo autor, quanto nas temáticas abordadas, a presença da concepção de prática pedagógica como um ato político, sendo sempre esta a referência principal para a compreensão de seus escritos.

Freire, portanto, evoca seu leitor a assumir que a prática pedagógica exige do educador um posicionamento distanciado sobre o sentido e os interesses nela presentes. Suas indagações recorrentes são sempre no sentido de perguntar sobre o porquê?, sobre o quê?, para quê?, e como? Partindo da opção político-pedagógica do educador é que se pode caracterizar a serviço de que tipo de sociedade a prática educativa está.

Para ele, se o compromisso político e ético assumido pela educação não é o de depositar conteúdos preestabelecidos como sugerido pela "educação bancária", mas por uma educação que promova a transformação da realidade desigual e injusta, então a opção não pode ser outra senão a da prática pedagógica humanizadora, a Educação Libertadora. Nessa perspectiva, as escolhas dos objetos de estudo, dos conteúdos e das metodologias pedagógicas a serem implementadas precisam, necessariamente, assumir o diálogo como princípio e diretriz política, metodológica e epistemológica.

A partir de uma visão política e filosófica é que concebe o conhecimento como uma construção histórica, em que homens e mulheres, em suas relações com a realidade concreta, ampliam seus horizontes culturais, superando limites explicativos na busca do ser-mais. Assim, é na articulação entre conceitos e categorias pedagógicos que o autor tece seus parâmetros filosóficos e sistematiza sua proposta pedagógica, concebida esta como uma política cultural. Para tanto, partindo dessa concepção emancipatória de educação, Freire apresenta uma rede de conceitos e temáticas para consubstanciar sua pedagogia.

Nesse sentido, a construção do conhecimento no processo de ensino-aprendizagem não pode prescindir da prática problematizadora de situações contraditórias vivenciadas pelos educandos – temas geradores –, de uma seleção crítica de conhecimentos científicos relevantes para a superação de visões ingênuas de realidade e da ação transformadora sobre o contexto social em que estão inseridos. Portanto, é na práxis educativa que o diálogo se concretiza como educação comprometida com a humanização.

Ao assumir a Secretaria Municipal de Educação de São Paulo (1989-1991), Freire implementou uma política educacional fundamentada em sua proposta educacional, presente em suas últimas obras. Abordando temáticas relacionadas à construção de uma gestão democrática da escola pública, articula o processo de ensino-aprendizagem da sala de aula com uma política de formação permanente dos professores e ao processo de construção coletiva de currículos críticos e interdisciplinares. Em suas ações políticas mostrou ser possível e viável uma escola pública com qualidade social, garantindo o acesso e a permanência de todos.

EDUCAÇÃO E POLÍTICA

"Daí que a ação humana, ingênua ou crítica, envolva finalidades, sem o que não seria práxis, ainda que fosse orientação no mundo. E não sendo práxis seria ação que ignoraria seu próprio processo e seus objetivos. A relação entre a consciência do projeto proposto e o processo no qual se busca sua concretização é a base da ação planificada dos seres humanos, que implica métodos, objetivos e opções de valor.

[...] Antes de tudo, quero deixar claro que é impossível conceber a conscientização de forma correta, como se ela fosse um mero passatempo intelectual, ou a constituição de uma racionalidade desgarrada do concreto. O esforço de conscientização, que se identifica com a própria ação cultural para a libertação, é o processo pelo qual, na relação sujeito-objeto, várias vezes referida nesta entrevista, o sujeito se torna capaz de perceber, em termos críticos, a unidade dialética entre ele e o objeto. Por isto mesmo, repitamos, não há conscientização fora da práxis, fora da unidade teorica--prática, reflexão-ação." (Ação Cultural para a Liberdade e Outros Escritos. 3ª ed. Rio de Janeiro: Paz e Terra, 1978, p. 35 e 113).

"Como educador eu dou muito mais ênfase a uma compreensão de um método rigoroso de conhecer. E aí é que eu falo em método; eu só falo em método para me referir a isto e não os chamamos métodos pedagógicos, didáticos, etc. A minha grande preocupação é o método enquanto caminho de conhecimento. Mas a gente ainda tem de perguntar em favor de que conhecer e, portanto, contra que conhecer; em favor de quem conhecer e contra quem conhecer. Essas perguntas que a gente se faz enquanto educadores, ao lado do conhecimento que é sempre a educação, nos levam à confirmação de outra obviedade que é a da natureza política da educação. Quer dizer, a educação enquanto ato de conhecimento é também e por isso mesmo um ato político. No momento em que a gente se pergunta em favor de que e contra que, em favor de quem e contra quem eu conheço, nós conhecemos, não há mais como admitir uma educação neutra a serviço da humanidade, como abstração. Aí, então, necessariamente, entra na reflexão sobre educação a questão do poder, de que nós os educadores quase sempre nos distanciamos tanto. É como se tivéssemos assim uma espécie de vergonha do poder, nojo do poder, nojo de ser políticos. Pois eu diria que houve momentos na história da minha prática em que eu me comportei angelicalmente. Por exemplo, em Educação como Prática da Liberdade eu não fiz referência um minuto sequer a esta natureza política da educação. Não é o que se verifica nos livros posteriores a este, mas neste, na verdade eu não me referi uma só vez. E é interessante, porque na verdade eu sabia que estava fazendo uma prática política, mas só que eu não assumia. Ao nível crítico eu não assumo então uma prática que fosse eminentemente política. E como educadores nós somos artistas e políticos, mas nunca técnicos." ("Educação. O Sonho Possível". In: Brandão, C. R.; Chauí, M. S.; Freire, P. Educador: Vida e Morte. Rio de Janeiro: Graal, 1982).

ESCOLA PÚBLICA E EDUCAÇÃO POPULAR

"Cabe a educadoras e a educadores progressistas, armados de clareza e decisão política, de coerência, de competência pedagógica e científica, da necessária sabedoria que percebe as relações entre táticas e estratégias não se deixarem intimidar. [...] Cabe a eles e a elas transpor seu medo e criar com ele a coragem com a qual confrontem o abuso do poder dos dominantes. Cabe a eles e a elas, finalmente, realizar o possível de hoje para que concretizem, amanhã, o impossível de hoje. Cabe a elas e a eles, finalmente, fundados nestes saberes, fazer educação popular, no corpo de uma rede sob o comando autoritário antagônico. Roma não se fez num dia e a nossa expectativa de vida não corresponde à expectativa da vida da nação.

[...] Isto significa reconhecer a capacidade humana de decidir, de optar, submetida embora a condicionamentos, que não permitem a sua absolutização. Significa ir mais além de urna explicação mecanicista da História. Significa assumir uma posição criticamente otimista que recusa, de um lado, os otimismos ingênuos, de outro, os pessimismos fatalistas. Significa a inteligência da História como possibilidade, em que a responsabilidade individual e social dos seres humanos, 'programados para aprender', mas não determinados, os configura como sujeitos e não só como objetos. Nesta altura da reflexão, me parece importante deixar claro que a educação popular [...] é exatamente a que, substantivamente democrática, jamais separa do ensino dos conteúdos o desvelamento da realidade. É a que estimula a presença organizada das classes sociais populares na luta em favor da transformação democrática da sociedade, no sentido da superação das injustiças sociais." (Política e Educação. 2ª ed. São Paulo: Cortez, 1995, p. 96).

CONCEPÇÃO DE CONHECIMENTO

"[...] o conhecimento da realidade é indispensável ao desenvolvimento da consciência de si e este ao aumento daquele conhecimento. Mas o ato de conhecer que, se autêntico, demanda sempre o desvelamento de seu objeto, não se dá na dicotomia entre objetividade e subjetividade, ação e reflexão, prática e teoria." (Ação Cultural para a Liberdade e outros Escritos, op. cit., p. 117).

"É indispensável a superação da compreensão ingênua do conhecimento humano. Ingenuidade que se reflete nas situações educativas em que o conhecimento do mundo é tomado como algo que deve ser transferido e depositado nos educandos. Este é um modo estático, verbalizado, de entender o conhecimento, que desconhece a confrontação com o mundo como a fonte verdadeira do conhecimento, nas suas fases e nos seus níveis diferentes. [...] Conhecer não é o ato através do qual um sujeito, transformado em objeto, recebe, dócil e passivamente, os conteúdos que outro lhe dá ou impõe. O conhecimento exige uma presença curiosa do sujeito em face do mundo. Requer sua ação transformadora sobre a realidade. Demanda uma busca constante. Implica em invenção e em reinvenção. Reclama a reflexão crítica de cada um sobre o ato mesmo de conhecer, pelo qual se reconhece conhecendo e, ao reconhecer-se assim, percebe o 'como' de seu conhecer e os condicionamentos a que está submetido seu ato. Conhecer é tarefa de sujeitos, não de objetos." (Extensão ou Comunicação? 10ª ed. Rio de Janeiro: Paz e Terra, 1992, p. 24

"[...] o educando se reconhece conhecendo os objetos, descobrindo que é capaz de conhecer, assistindo à imersão dos significados em cujo processo se vai tornando também significador crítico." (Pedagogia da Esperança: um Reencontro com a Pedagogia do Oprimido. Rio de Janeiro: Paz e Terra, 1992, p. 46).

"[...] Por questão de método, jamais oriento diretamente minha atenção ao objeto que me desafia no processo de conhecimento. Pelo contrário, tomando distância epistemológica do objeto, faço minha aproximação cercando-o. 'Tomar distância epistemológica' significa tomar o objeto em nossas mãos para conhecê-lo; no 'cerco epistemológico', para melhor me apropriar da substantividade do objeto, procuro decifrar algumas de suas razões de ser. No cerco epistemológico não pretendo isolar o objeto para apreendê-lo em si; nessa operação procuro compreender no objeto o interior de suas relações com outros. [...] Não há comunicação sem dialogicidade e a comunicação está no núcleo do fenômeno vital. Nesse sentido, a comunicação é vida e fator de mais-vida. Mas, se a comunicação e a informação ocorrem ao nível da vida sobre o suporte, imaginemos sua importância e, portanto, a da dialogicidade, na existência humana no mundo. Nesse nível, a comunicação e a informação se servem de sofisticadas linguagens e de instrumentos tecnológicos que 'encurtam' o espaço e o tempo. A produção social da linguagem e de instrumentos com que os seres humanos melhor interferem no mundo anuncia o que será a tecnologia." (À Sombra desta Mangueira. São Paulo: Olho D'Água, 1995, p. 74).

A PRÁTICA DIALÓGICA COMO PEDAGOGIA CRÍTICA

"[...] Me parece demasiado óbvio que a educação de que precisamos, capaz de formar pessoas críticas, de raciocínio rápido, com sentido do risco, curiosas, indagadoras não pode ser a que exercita a memorização mecânica dos educandos. A que 'treina', em lugar de formar. Não pode ser a que 'deposita' conteúdos na cabeça 'vazia' dos educandos, mas a que, pelo contrário, os desafia a pensar certo. Por isso, é a que coloca ao educador ou educadora a tarefa de, ensinando conteúdos aos educandos, ensinar-lhes a pensar criticamente. O aprendizado de um conteúdo que se dê à margem de ou sem incorporar o aprendizado maior que é o da rigorosidade do pensar no sentido da apreensão da razão de ser do objeto não possibilita a indispensável rapidez de raciocínio para responder à aquela exigência. É tão fundamental, por outro lado, a prática do pensar certo para o confronto de novos desafios que as inovações tecnológicas nos põem hoje quanto a liberdade de criar. Uma educação em que a liberdade de criar seja viável necessariamente tem de estimular a superação do medo da aventura responsável, tem de ir mais além do gosto medíocre da repetição pela repetição, tem de tornar evidente aos educandos que errar não é pecado, mas um momento normal do processo gnosiológico." (Pedagogia da Indignação: Cartas Pedagógicas e Outros Escritos. São Paulo: Unesp, 2000, p. 28).

"[...] Testemunhar a abertura aos outros, a disponibilidade curiosa à vida, a seus desafios, são saberes necessários à prática educativa. Viver a abertura respeitosa aos outros e, de quando em vez, de acordo com o momento, tomar a própria prática de abertura ao outro como objeto da reflexão crítica deveria fazer parte da aventura docente. A razão ética da abertura, seu fundamento político, sua referência pedagógica; a boniteza que há nela como viabilidade do diálogo. A experiência da abertura como experiência fundante do ser inacabado que terminou por se saber inacabado. Seria impossível saber-se inacabado e não se abrir ao mundo e aos outros à procura de explicação, de respostas a múltiplas perguntas. O fechamento ao mundo e aos outros se torna transgressão ao impulso natural da incompletude. [...] O sujeito que se abre ao mundo e aos outros inaugura com seu gesto a relação dialógica em que se confirma como inquietação e curiosidade, como inconclusão em permanente movimento na História. (Pedagogia da Autonomia: Saberes Necessários à Prática Educativa. São Paulo: Paz e Terra, 1997, p. 152).

"[...] Mas, quem dialoga, dialoga com alguém sobre alguma coisa. Esta alguma coisa deveria ser o novo conteúdo programático da educação que defendíamos. E nos pareceu que a primeira dimensão deste novo conteúdo, com que ajudaríamos o analfabeto, antes ainda de iniciar sua alfabetização, para conseguir a destruição da sua compreensão 'mágica' e a construção duma compreensão crescentemente crítica, seria a do conceito antropológico de cultura, isto é, a distinção entre estes dois mundos: o da natureza e o da cultura; o papel ativo do homem na sua realidade e com a sua realidade; o sentido de mediação que tem a natureza para as relações e a comunicação dos homens; a cultura como o acréscimo que o homem faz ao mundo que não criou; a cultura como resultado de seu trabalho, de seu esforço criador e recria-dor; a dimensão humanista da cultura; a cultura como aquisição sistemática da experiência humana, como uma incorporação, por isso crítica e criadora, uma justaposição de informações e descrições "doadas"; a democratização da cultura, que é uma dimensão da democratização fundamental, frente à problemática da aprendizagem da escrita e da leitura, seria, pois, como uma chave com a qual o analfabeto inicia sua introdução no mundo da comunicação escrita. Como ser no mundo e com o mundo. Em seu papel de sujeito e não de mero e permanente objeto." (Educação e Mudança. Rio de Janeiro: Paz e Terra, 1998, p. 68).

"[...] O diálogo não pode existir sem um profundo amor pelo mundo e pelos homens. Designar o mundo, que é ato de criação e de recriação, não é possível sem estar impregnado de amor. [...] O amor é ao mesmo tempo o fundamento do diálogo e o próprio diálogo. Este deve necessariamente unir sujeitos responsáveis e não pode existir numa relação de dominação. A dominação revela um amor patológico: sadismo no dominador, masoquismo no dominado. Porque o amor é um ato de valor, não de medo, ele é compromisso para com os homens." (Conscientização: Teoria e Prática da Libertação. 3ª ed. São Paulo: Moraes, 1980, p. 82).

DIALOGICIDADE E PROBLEMATIZAÇÃO

"[...] Se o conhecimento científico e a elaboração de um conhecimento rigoroso não podem prescindir de sua matriz problematizadora, a apreensão deste conhecimento científico e do rigor deste pensamento filosófico não pode prescindir igualmente da problematização que deve ser feita em torno do próprio saber que o educando deve incorporar". (Extensão ou Comunicação?, op. cit., p. 54).

"A problematização não é [...] um entretenimento intelectualista, alienado e alienante; uma fuga da ação; um modo de disfarçar a negação do real. [...] em seu processo, a problematização é a reflexão que alguém exerce sobre um conteúdo, fruto de um ato, ou sobre o próprio ato, para agir melhor, com os demais, na realidade. [...] a concepção educativa que defendemos e que estamos sumariamente colocando como conteúdo problemático gira em torno da problematização do homem-mundo. Não em torno da problematização do homem isolado do mundo nem da deste sem ele, mas de relações indicotomizáveis que se estabelecem entre elas". (Extensão ou Comunicação?, op. cit., p. 82).

O DIÁLOGO NA BUSCA DOS CONTEÚDOS PROGRAMÁTICOS

"[...] A educação autêntica, repitamos, não se faz de A para B ou de A sobre B, mas de A com B, mediatizados pelo mundo. Mundo que impressiona e desafia a uns e a outros, originando visões ou pontos de vista sobre ele. Visões impregnadas de anseios, de dúvidas, de esperanças ou desesperanças que implicitam temas significativos, à base dos quais se constituirá o conteúdo programático da educação. Um dos equívocos de uma concepção ingênua do humanismo está em que, na ânsia de corporificar um modelo ideal de 'bom homem', se esquece da situação concreta, existencial, presente, dos homens mesmos. O humanismo consiste em permitir a tomada de consciência de nossa plena humanidade, como condição e obrigação: como situação e projeto". (Pedagogia do Oprimido, op. cit., p. 48).

"[...] Daí que, para esta concepção como prática da liberdade, a sua dialogicidade comece, não quando o educador-educando se encontra com os educando-educadores em uma situação pedagógica, mas antes, quando aquele se pergunta em torno do que vai dialogar com estes. Esta inquietação em torno do conteúdo do diálogo é a inquietação em torno do conteúdo programático da educação. [...] Nosso papel não é falar ao povo sobre a nossa visão do mundo, ou tentar impô-la a ele, mas dialogar com ele sobre a sua e a nossa. Temos de estar convencidos de que a sua visão do mundo, que se manifesta nas várias formas de sua ação, reflete a sua situação no mundo, em que se constitui. A ação educativa e política não pode prescindir do conhecimento crítico dessa situação, sob pena de se fazer 'bancária' ou de pregar no deserto. [...] faltando aos homens uma compreensão crítica da totalidade em que estão, captando-a em pedaços nos quais não reconhecem a interação constituinte da mesma totalidade, não podem conhecê-la. E não o podem porque, para conhecê-la, seria necessário partir do ponto inverso. Isto é, lhes seria indispensável ter antes a visão totalizada do contexto para, em seguida, separarem ou isolarem os elementos ou as parcialidades do contexto, através de cuja cisão voltariam com mais claridade à totalidade analisada. [...] Este é um esforço que cabe realizar, não apenas na metodologia da investigação temática que advogamos, mas, também, na educação problematizadora que defendemos." (Idem, p. 93).

"[...] Desta forma, os temas que foram captados dentro de uma totalidade jamais serão tratados esquematicamente. Seria uma lástima se, depois de investigados na riqueza de sua interpenetração com outros aspectos da realidade, ao serem 'tratados', perdessem esta riqueza, esvaziando-se de sua força, na estreiteza dos especialismos. [...] Feita a delimitação temática, caberá a cada especialista, dentro de seu campo, apresentar à equipe interdisciplinar o projeto de 'redução' de seu tema. [...] No processo de 'redução' deste, o especialista busca os seus núcleos fundamentais que, constituindo-se em unidades de aprendizagem e estabelecendo uma sequência entre si, dão a visão geral do tema 'reduzido'." (Idem, p. 102).

Bibliografia comentada

LEITOR DO MUNDO, UM MUNDO EM LETRAS

por Gomercindo Ghiggi e Michelle Nóbrega

Freire levou para seu texto interlocuções para pensar contextos e textos, incorporando base ética e política ao trabalho educativo

É possível compreender o pensamento de Freire a partir de quatro momentos de sua vida: a constituição do homem/educador (1921-1964); exílio (1964-1980); retorno ao Brasil (1980-1989); e o período seguinte a sua experiência como secretário da Educação da cidade de São Paulo – sme/sp (1991-1997).

No exílio, fecundo tempo de elaboração do seu pensamento, Freire refletiu sobre as experiências educativas vividas no Brasil (educação popular) e analisou a brutal interrupção do trabalho pela ditadura militar. Além disso, tanto o humanismo cristão como o marxista marcam profundamente o seu pensamento nesse período. Após reencontro com o Brasil, ele dirigiu a SME/SP. Estará a produção dos anos 1990 mais a serviço da educação escolar? Quais marcas teóricas tem o texto freireano? Estará Freire próximo do denominado ecletismo, termo usado por Ernani Maria Fiori em Metafísica e História (1987), importante presença na sua obra? Freire levou para seu texto interlocuções para pensar contextos e textos, adensando base ética e política ao trabalho educativo, tomando a literatura "como referência para a elaboração de um pensamento original", como nota Paulo Rosas.

No retorno ao Brasil (1980/1990), mantidos os fundamentos do tempo do exílio, Freire amplia a sua percepção do mundo, em especial na relação do humano com a natureza. Freire assume em seus escritos a dimensão política, ontologicamente atada ao trabalho educativo. No conjunto de sua obra, encontramos um Freire que escreve com amor e indignação, o que faz seu texto ser revolucionário, com caráter de inovação. Enfim, cientes da existência de outros textos para abordar o seu pensamento, selecionamos vinte obras que consideramos centrais para quem busca entender Freire e com ele atuar no mundo, em especial da educação. Adiantamos que não foi uma escolha aleatória. Lendo Freire desde 1975, destacamos os textos a seguir como um conjunto de obras que permitem a compreensão do conjunto do seu pensamento.

1959
Educação e Atualidade Brasileira
É o texto que dá início à reflexão político-pedagógica de Freire. É um texto denso, consolidado pelas experiências educacionais e com leituras que faz, provocado por críticas de brasileiros e estrangeiros. O texto nasceu como Tese de Concurso para a Universidade Federal de Pernambuco. A preocupação é com a sociedade brasileira e a República Populista, tomada pelo surto da industrialização e ainda presa à educação verbalista. Parte da concepção de homem, relacional. Segundo o autor, só há viver autêntico quando há relações homens-mundo-homens, quando o ser humano está integrado à realidade. Suas considerações apontam para a inexperiência democrática (colonização predatória). Era preciso rever todo o projeto educacional. Apoiado nas teses do nacional desenvolvimento (ISEB), tece considerações sobre educação e atualidade brasileiras. Centralismo, verbalismo, antidialogação, autoritarismo, assistencialização, manifestações da inexperiência democrática, deveriam dar espaço à concepção de educação que contribuísse com a transformação da consciência transitivo-ingênua do proletariado para a transitivo-crítica.

1965
Educação como Prática da Liberdade (Chile)
É o primeiro livro do exílio. Nele Freire afirma que escreve para enfrentar os desafios da sociedade brasileira em transição. Distingue

os homens dos animais pelo conceito de relações. O homem é o ser capaz de transcendência, não apenas de ter consciência e objetivar-se, mas de perceber-se finito, inacabado. Aprofunda o conceito de integração como atividade humana, exposto em Educação e Atualidade Brasileira, aproximando-o de comunhão. Parte da realidade da sociedade brasileira, fechada, colonial e escravista, como análise para a sua transição. Elabora respostas pedagógicas ao momento de transição, tendo como horizonte a educação vinculada ao desenvolvimento democrático capaz de suprimir a opressão. Analisa os déficits da educação brasileira em relação a crianças fora da escola e analfabetos, defendendo que o momento histórico necessitava da democratização da cultura. Todo o livro parte da alfabetização de adultos como referência.

1967-1968

Pedagogia do Oprimido (Chile)

Mostra como o trabalho de Freire no contexto brasileiro e chileno foi decisivo para afirmar a pedagogia como construção coletiva. O livro retoma temas tratados no livro anterior, revisitados e aprofundados. É uma das obras mais conhecidas de Freire. Nele, ele parte da desumanização como realidade histórica e viabilidade ontológica (dialética) para a humanização, superadora da contradição opressor-oprimido. Contradição que conduz os oprimidos à autodemissão do mundo. A epistemológica é aposta na historicidade do oprimido. A educação bancária é expressão de dominação, da contradição educador-educando, por meio da qual o educando é tomado como objeto de sua aprendizagem, desumanização que afasta o homem da vocação ontológica de ser mais. A dialogicidade é a aposta na construção da educação como prática da liberdade. A construção da antítese da concepção bancária da educação se dá a partir da compreensão do ser humano como um ser inacabado, o qual, constituindo-se no mundo, é capaz de atuar a esperança como vocativo ontológico. Fala da teoria da ação dialógica e suas características, quando conquista, divisão, manipulação e invasão cultural podem ser superadas através da ação dialógica e seus constituintes: co-laboração, união, organização e síntese cultural. Pedagogia do Oprimido é um livro difícil de comentar sem lê-lo no contexto em que foi escrito e sem acompanhar Freire em sua opção a favor dos esfarrapados do mundo.

1968

Ação Cultural para a Liberdade (Chile 1968; 1969, EUA)

Temas como a importância do ato de estudar; alfabetização de adultos como ação cultural para a libertação; os camponeses e a leitura; ação cultural e reforma agrária; o papel do trabalhador e a mudança; ação cultural para a libertação; conscientização e libertação; humanização e suas implicações pedagógicas; e as igrejas na América Latina fazem parte do texto. Freire analisa os níveis de consciência das sociedades latino-americanas (dependentes). Disserta sobre práticas antagônicas, libertadora e domesticadora, na alfabetização de adultos. Fala da desumanização e suas implicações educativas, expressão de dominação e humanização. Contra a Igreja moderna, condena a reinvenção e a humanização do capitalismo e não a sua supressão. Mas há a Igreja profética, utópica e esperançosa, comprometida com os dominados. Freire faz a crítica a si mesmo ao considerar que em Educação como Prática da Liberdade não tratou dialeticamente o desvelamento da realidade e a sua transformação. E defende: a transformação radical da educação só ocorre quando a sociedade é radicalmente transformada.

1969

Extensão ou Comunicação? (Chile)

Traz a análise do papel do agrônomo como educador, discutindo a relação entre técnicos e camponeses no desenvolvimento da sociedade. Discute a aproximação semântica do termo extensão e o equívoco gnosiológico ao significar a ação de estender algo a outrem. Apoiado em teóricos da linguística, Freire aproxima os termos extensão e invasão cultural; negando o sentido da transformação, nega-se o quefazer libertador. Freire aponta o equívoco gnosiológico da extensão, partindo da relação homem-mundo, constituinte da construção do conhecimento. A extensão é a atitude de um sujeito que invade, que impõe sua visão, objetivando conquista e manipulação. Freire aponta as quatro relações constitutivas do conhecimento: a gnosiológica, a lógica, a histórica e a dialógica, reforçando a concepção de educação como comunicação. Trava a discussão acerca da educação como situação gnosiológica, que extrapola a relação sujeito cognoscente e objeto cognoscível, afirmando que a autêntica educação se dá na relação comunicativa entre sujeitos.

1974

Conscientização

Foi organizada pelo Institute Oecuménique au Service du Développement des Peuples (Inodep), e publicada na França, em 1974; e em 1979, no Brasil. A primeira parte, O Homem e sua Experiência, é um texto autobiográfico. Nele Freire retoma experiências desde o nascimento até o Golpe de Estado de 1964. A ênfase é a construção do diálogo ao longo de sua existência. Contextualiza a experiência educativa no Brasil (desde 1962 em Angicos) e no Chile (a partir de 1965). A segunda parte esclarece a origem do termo conscientização, criado por isebianos, compreendendo-o como a relação consciência-mundo e a compreensão de homem como ser em situação, capaz de denunciar a desumanização e atuar para a humanização. Reflete a opressão, a dependência e a marginalidade. Parte da opressão como situação desumanizadora dos oprimidos, com os quais aponta a libertação, pela práxis, destacada desde a Pedagogia do Oprimido. Freire reforça o seu método de aprender, suas táticas e a posição indignada contra a opressão, apontando para nova relação pedagógica, exposta desde Educação e Atualidade Brasileira e aprofundada em Pedagogia do Oprimido. Apresenta a ação cultural e a revolução cultural como constituintes da pedagogia na construção da sociedade socialista.

1976

Educação e Mudança (1976, Argentina; e 1979, Brasil)

É um texto composto por quatro temas: Compromisso do profissional e sociedade; a educação e a mudança social; o trabalhador social e mudança; e alfabetização de adultos e conscientização. Freire fala da responsabilidade do profissional da educação com a sociedade, marcada pelo antagonismo mudança/estabilidade: aponta para o comprometimento e a capacidade de agir e refletir com os coisificados, a vigilância para não se coisificar. Compromisso é práxis e só é válido carregado de humanismo que supera o binômio humanismo-tecnologia e a instrumentalização da educação, refletindo sobre a própria condição em que vive. Freire narra sua experiência no Programa Nacional de Alfabetização, reivindicando a mudança não apenas como transformação de percepção, mas conscientização (mudança da estrutura social), categoria que na obra freireana é afirmada desde Educação como Prática da Liberdade.

Cartas à Guiné-Bissau (1976, Genebra; 1977, Brasil)

Traz 17 Cartas, nas quais dialoga com Mário Cabral e a equipe do Idac (1975/1976). O livro inicia com uma carta-relatório, contando fatos marcantes de visitas de Freire à Guiné-Bissau. A intenção de publicar Cartas foi possibilitar a leitura da dinâmica das atividades educacionais e da campanha de alfabetização de adultos em desenvolvimento naquele país, além de socializar problemas decorrentes dessa experiência. Freire narra o trabalho com a Independência de Guiné e Cabo Verde, assumindo posição militante na sua missão. Faz breves visitas a zonas libertadas e destaca a autenticidade de líder de Amílcar Cabral e fala de seu assassinato pelos colonialistas. Mostra a diferença da violência do opressor e do oprimido. Outra categoria que apresenta é o suicídio de classe. Reporta-se às modificações no sistema educacional guineense, às concepções de ensino e à formação de professores e técnicos diante das necessidades do país. A palavra final de Freire é sobre a reflexão filosófica do dito e do feito em busca de sua retomada, com a preocupação de realizar novos escritos sobre a língua em que estavam sendo alfabetizados os guineenses.

1982

A Importância do Ato de Ler

Faz uma arqueologia do ato de ler na sua experiência-existência, desde a infância, reafirmando o que já postulou em seus outros escritos: a necessidade da percepção crítica, da interpretação e da re-escrita do lido. A leitura do mundo precede a leitura da palavra. A compreensão do texto implica sempre o estabelecimento de relações entre o texto e o contexto. Freire retoma a relação educação e poder na alfabetização de adultos e o lugar da biblioteca popular como centro cultural. Em um dos textos do livro, "O Povo Diz a sua Palavra ou a Alfabetização em São Tomé e Príncipe", ele tece considerações acerca da relação assessor-assessorado, tanto no processo de alfabetização como de pós-alfabetização em São Tomé e Príncipe.

1986

Medo e Ousadia: cotidiano do professor (com Ira Shor)

O que é ensino libertador?, como o professor se transforma em educador libertador?, como o estudante inicia seu processo de transformação?, como transmitir conteúdos pelo diálogo?, são questões organizadoras do diálogo com Ira Shor. Freire e ela discutem temas do cotidiano do ensino-aprendizagem, apontando para a reinvenção do mundo escolar pela educação libertadora. São reflexões que cercam medos, ousadias e possibilidades de homens e mulheres poderem ser sujeitos comprometidos com o processo pedagógico libertador. Freire e Shor, para dar conta do que perguntam, desdobram temas como raça, sexo e classe. São temas complexos, nem sempre percebidos, que fazem parte do cotidiano do professor, sempre ante o desafio da prática pedagógica libertadora. São duas experiências em diálogo. O encontro dá-se pelas reflexões de cada um e pelo aprofundamento que produzem, referência para refletir o que a educação contemporânea pode fazer, especialmente em sua ontológica tarefa de atuar a favor da transformação social.

1989

Pedagogia: Diálogo e Conflito (com Moacir Gadotti e Sérgio Guimarães)

Freire e Gadotti assim justificam o nome do livro: "Por que diálogo e conflito? Demos esse título porque [...] buscávamos mostrar como o diálogo e o conflito se articulam como estratégia do oprimido". Defendem que diálogo se dá entre iguais e diferentes, não entre antagônicos. O texto instiga a compreensão de um dos complexos temas dos anos 1980: educação e conflito. Para compreender o conflito não como produto da educação, a educação parte do conflito porque ele faz parte da vida das pessoas que vão à escola. Em contraposição aos defensores da Pedagogia do Consenso, o diálogo é essencial para a compreensão do conflito (e sua superação) em sua dimensão pedagógica.

1991

Educação na Cidade

Na Secretaria Municipal de Educação de São Paulo (SME-SP), Freire enfrentou complexos temas de gestão da educação, com um desafio: tornar a escola alegre para educandos e educadores. Com indignação e ativa esperança, Freire atuou pela educação a serviço da transformação, revendo currículo, consertando prédios, aumentado salários... Para Freire, este é um "livro introdutório, sobre o que sonhamos e o que fizemos [...]" na SME-SP Gadotti e Torres afirmam na apresentação do livro: "são textos de briga, de batalha, do cotidiano pedagógico e administrativo". Freire expressa todo o esforço para pôr em prática princípios a favor da educação como prática da liberdade, progressista, a serviço da libertação.

1992

Pedagogia da Esperança

Segundo Freire, este foi um livro escrito "com raiva, com amor, sem o que não há esperança". Primeiro fala de "tramas da infância, da mocidade", da maturidade em que a pedagogia do oprimido "foi tomando forma, primeiro, na oralidade, depois graficamente". Algumas tramas o levaram ao exílio. Em seguida, "[...] retomo a Pedagogia do Oprimido. Discuto alguns de seus momentos, analiso algumas críticas a ela feitas nos anos 1970." Adiante, fala do seu "reencontro" mesmo com a Pedagogia do Oprimido, não com o "tom de quem fala do que já foi, mas do que está sendo". O tema da Esperança no reencontro com a pedagogia do oprimido demanda humildade para acompanhar o pensamento de Freire. Se, por um lado, podemos saborear uma reafirmação de classe, por outro surge um Freire que se insurge contra qualquer sectarismo. Eis a gostosa surpresa!

1993

Professora Sim, Tia Não

É apresentado por Freire com estas palavras: "Professora-tia: a armadilha", buscando compreender criticamente o "enunciado professora, sim; tia não". Para ele, não se deve "opor a professora à tia" e nem "reduzir a professora à condição de tia", pois "ensinar é profissão que envolve certa tarefa, certa militância, certa especificidade no seu cumprimento [...]. Ser professora implica assumir uma profissão enquanto não se é tia por profissão". E aí aparecem as Dez Cartas que compõem o livro, com temas como Leitura do mundo e leitura da palavra; Não deixe que o medo do difícil paralise você;

Vim fazer o curso do magistério porque não tive outra possibilidade; Das qualidades indispensáveis de professoras progressistas; Primeiro dia de aula?; Relações entre educadora e educandos; De falar ao educando, de ouvir o educando; Identidade cultural e educação; Contexto concreto e contexto teórico; e A disciplina. Freire expressa que foi tocado por um forte compromisso ético-político ao escrever as Cartas, o que garante o prazer da leitura e uma certeza: fazer educação é um ato político.

1993

Política e Educação

Aborda temas como educação permanente; cidades educativas, educação de adultos; unidade na diversidade; alfabetização e cidadania; educação e participação comunitária; educação e responsabilidade; escola pública e educação popular e outras. A diversidade temática não leva Freire a abandonar o rigor com o qual articula educação e política. Ele próprio encarrega-se de falar da origem e dos compromissos assumidos com os textos, desde algo que os "atravessa": a reflexão político-pedagógica, dimensão que os unifica e lhes dá equilíbrio. Um destaque indica a necessidade de aprofundamento: nas obras do exílio, Freire fala de unidade dialética para falar da organização ante as necessárias mudanças. Em Política e Educação fala de unidade na diversidade, apontando para nova compreensão do fazer pedagógico.

1994

Cartas a Cristina

É um texto que nasceu do pedido de Cristina, sobrinha de Freire: "Gostaria de que você me fosse escrevendo cartas falando algo de sua vida mesma [...]". Ele responde, cumprindo "[...] a velha promessa de escrever Cartas a Cristina [...]". Juntamente com a retomada (ressignificada) da sua trajetória, ele demarca politicamente seu escrito: "[...] ao referir-me, em momentos diferentes destas cartas, às tradições autoritárias da sociedade brasileira, ao todo-poderosismo dos senhores das terras e das gentes [...]". Cartas a Cristina é fundamental para conhecer a vida e o pensamento de Freire. Nele encontramos referências aos seus tempos de infância, adolescência e juventude fortemente atados ao seu trabalho como educador. Tece, com densidade, relações com o momento político nacional e internacional, muito particularmente acerca do assustador avanço do denominado neoliberalismo.

1995

À Sombra desta Mangueira

É composta por temas como: Solidão-comunhão; Suporte e mundo; Esperança; Neoliberais e Progressistas; Gestão Democrática; Lições do Exílio; Esquerdas e direita; Seriedade e Alegria; Dialogicidade; Minha fé e esperança; etc. A variedade de temas que compõem a obra é justificada por Freire: "Possivelmente não interesse a ninguém a indagação que me traz aqui, à sombra gostosa desta mangueira e nela ficar, por horas, 'sozinho', escondido do mundo e dos outros, fazendo-me perguntas [...]". Apostando que tal declaração indica uma construção testamental, Freire ata tal perspectiva a temas recorrentes em suas obras: visão de mundo, a natural relação entre o fazer educativo e a política e os valores no trabalho educativo. Os temas solidão, comunhão, suporte e mundo, esquerdas e direita, neoliberais e progressistas, seriedade e alegria, esperança, dialogicidade e solidariedade vão se cruzando e tecendo um texto com sabor de vida, de justiça, de alegria e muito amor ao mundo e ao ser humano.

1996

Pedagogia da Autonomia

É um texto desafiador pelo formato da proposta, organizada em três partes, cada uma dividida em 9 temas, com uma chamada central em cada um deles: "Ensinar exige...". Os temas/títulos são: Não Há Docência sem Discência; Ensinar Não É Transferir Conhecimento; e Ensinar é uma Especificidade Humana. Um segundo desafio: o que aparenta ser um conjunto de orientações práticas para o sucesso pedagógico, a leitura vai desvelando um denso texto para pensar a educação e sua natural relação com a política. O próprio Freire fala do desafio: "A questão da formação docente ao lado da reflexão sobre a prática educativo-progressiva em favor da autonomia do ser dos educandos é a temática central em torno de que gira este texto. Temática a que se incorpora a análise de saberes fundamentais àquela prática [...]", sempre do ponto de vista dos Condenados da Terra. Vai tecendo os fios da relação entre a formação docente e a análise da prática pedagógica em umbilical conexão com as relações humanas, com a sociedade que vivemos e com a ética universal.

2008

Sobre Educação: Lições de Casa

Embora publicado após sua morte, também é um escrito dialogado, aqui só com Guimarães. O texto retoma a experiência de Freire como preso político da ditadura militar. Os autores retomam a história, com particular ênfase aos quase dezesseis anos de exílio, experiência que marca boa parte das suas obras. O diálogo gira em torno de duas partes: Olhar de Fora e Os Riscos de Publicar. Temas como censura e publicação estão presentes nesta obra, através de inédita conversa entre Guimarães e Fernando Gasparian, primeiro editor a publicar obras Freire no Brasil. Sempre através de entrevistas, Freire conta histórias, aqui em especial sobre anos de exílio, desdobrando vivências que influenciaram a sua obra.

OBRA PÓSTUMA

Expressando um importante momento para a educação e sociedade brasileiras, Freire escreve textos que a professora Ana Freire intitulou Pedagogia da Indignação (2000). Além das Cartas Pedagógicas, temas como Descobrimento da América, Alfabetização, Esperança, Denúncia, Anúncio, Profecia, Utopia e Sonho compõem o livro. O destaque é para as Cartas. Na primeira, "Do espírito deste Livro", Freire apresenta a obra que estava escrevendo: "[...] umas cartas pedagógicas em estilo leve cuja leitura tanto pudesse interessar jovens pais e mães quanto, quem sabe, filhos e filhas adolescentes ou professoras e professores [...]". O tema autoridade e liberdade cerca a reflexão. Na segunda, "Do Direito e do Dever de Mudar o Mundo", Freire afirma a esperança: mulheres e homens "podem mudar o mundo para melhor, para fazê-lo menos injusto [...]". Freire afirma que não se intimida ao dizer a Verdade: "os sonhos são projetos pelos quais se luta [...]. Sua realização não se verifica facilmente, sem obstáculos. Implica, pelo contrário, avanços, recuos, marchas às vezes demoradas. Implica luta". É a conclamação às Marchas: "A marcha esperançosa dos que sabem que mudar é possível". Na terceira parte, "Do Assassinato de Galdino", Freire escreve: "Que coisa estranha, brincar de matar índio [...]". E faz indignada reflexão acerca dos ambientes nos quais nascem, crescem e se formam jovens e adolescentes, ambientes nos quais, com a complacência de pais e educadores, vai sendo exercitada outra negação da liberdade: a também perversa licenciosidade.

Referências bibliográficas

Andreola, B. "Carta-Prefácio a Paulo Freire". In: Freire, Paulo. Pedagogia da Indignação: Cartas Pedagógicas e Outros Escritos. São Paulo: unesp, 2000.

Apple, W. M. O Conhecimento Oficial: A Educação Democrática numa Era Conservadora. Petrópolis: Vozes, 1997.

Bauman, Z. Identidade. Rio de Janeiro: Jorge Zahar, 2005.

Bauman, Z. Tempos líquidos. Rio de Janeiro: Zahar, 2007.

Beisiegel, C. R. "Das Quarenta Horas de Angicos aos Quarenta Anos da Pedagogia do Oprimido". In: Mafra, J.; Romão, J. E.; Scocuglia, A. C.; Gadotti, M. Globalização, Educação e Movimentos Sociais. São Paulo: Editora Esfera, 2009.

Beisiegel, C. R. Política e Educação Popular – A Teoria e a Prática de Paulo Freire no Brasil. Brasília: Líber Livro, 2008.

Boff, L. "Transcendência". In: Streck, Danilo R. et al. (orgs.). Dicionário Paulo Freire. 2ª ed. Belo Horizonte: Autêntica, 2010.

Calloni, H. "Ecologia". In: Streck, D. R. et al. (orgs.). Dicionário Paulo Freire. 2ª ed. Belo Horizonte: Autêntica, 2010.

Canen, A. "Sentidos e Dilemas do Multiculturalismo: Desafios Curriculares para o Novo Milênio". In: Lopes, A. C; Macedo, E. (orgs.) Currículo: Debates Contemporâneos. São Paulo: Cortez, 2002.

Coady, J. Masters of Their Own Destiny. New York; London: Harper & Row, 1939.

Delizoicov, D.; Angotti, J. A.; Pernambuco, M. M . Ensino de Ciências: Fundamentos e Métodos. São Paulo: Cortez, 2002.

Fiori, E. M. "Aprender a Dizer a sua Palavra". In: Pedagogia do Oprimido. 9ª ed. Rio de Janeiro: Paz e Terra, 1981.

Fiori, E. M. Metafísica e História. Textos Escolhidos. Porto Alegre: L&PM, 1987, v. 1.

Freire, P. "Conscientização e Alfabetização; uma nova visão do processo". Estudos Universitários – Revista de Cultura da Universidade do Recife, nº 4, abr.-jun. 1963.

Freire, P. "Criando métodos de Pesquisa Participante". In: Brandão, C. R. Pesquisa Participante. São Paulo: Brasiliense, 1981.

Freire, P. "Educação. O Sonho Possível". In: Brandão, C. R.; Chauí, M. S.; Freire, P. Educador: Vida e Morte. Rio de Janeiro: Graal, 1982.

Freire, P. A Educação na Cidade. São Paulo: Cortez, 1991.

Freire, P. A Importância Do Ato de Ler: em Três Artigos que se Completam. São Paulo: Cortez, 1982.

Freire, P. À Sombra desta Mangueira. São Paulo: Olho d'Água, 1995.

Freire, P. Ação Cultural para a Liberdade e Outros Escritos. Rio de Janeiro: Paz e Terra, 1968.

Freire, P. Cartas a Cristina. Rio de Janeiro: Paz e Terra, 1994.

Freire, P. Cartas à Guiné Bissau. Registros de uma Experiência em Processo. Rio de Janeiro: Paz e Terra, 1977.

Freire, P. Conscientização: Teoria e Prática da Libertação. 3ª ed. São Paulo: Moraes, 1980.

Freire, P. e Horton, M. O Caminho se Faz Caminhando: Conversas sobre Educação e Mudança Social. Petrópolis: Vozes, 2003.

Freire, P. Educação como Prática da Liberdade. Rio de Janeiro: Paz e Terra, 1978.

Freire, P. Educação e Atualidade Brasileira. São Paulo: Cortez/ IPF, 2001.

Freire, P. Educação e Mudança. Rio de Janeiro: Paz e Terra, 1976.

Freire, P. Extensão ou Comunicação? 4ª ed. Rio de Janeiro: Paz e Terra, 1980.

Freire, P. Novos Tempos, Velhos Problemas. In: Serbino, R.V. et al. Formação de Professores. São Paulo: Unesp, 1998.

Freire, P. Pedagogia da Autonomia: Saberes Necessários à Prática Educativa. São Paulo: Paz e Terra, 1997.

Freire, P. Pedagogia da Esperança: Um Reencontro com a Pedagogia do Oprimido. Rio de Janeiro: Paz e Terra, 1992.

Freire, P. Pedagogia da Indignação: Cartas Pedagógicas e Outros Escritos. São Paulo: Unesp, 2000.

Freire, P. Pedagogia del Oprimido. 2ª ed. Montevideo: Tierra Nuova, 1971.

Freire, P. Pedagogia do Oprimido. 17ª ed. Rio de Janeiro: Paz e Terra, 1987.

Freire, P. Política e Educação. São Paulo: Cortez, 1993, 119p.

Freire, P. Professora Sim, Tia Não. Cartas a Quem Ousa Ensinar. São Paulo: Olho D'Água, 1993.

Freire, P.; Guimarães, S. Sobre Educação (Diálogos). Rio de Janeiro: Paz e Terra, 1984, v. 2.

Freire, P.; Guimarães, S. Sobre Educação: Lições de Casa. São Paulo: Paz e Terra, 2008.

Freire, P.; Shor, I. Medo e Ousadia: Cotidiano do Professor. São Paulo: Paz e Terra, 1986.

Gadotti, M. Paulo Freire: uma Bibibliografia. São Paulo: Cortez/Instituto Paulo Freire; Brasília: Unesco, 1996.

Gadotti, M. Pedagogia da Terra. 2ª ed. São Paulo: Peirópolis, 2000.

Gadotti, M; Freire, Paulo; Guimarães, S. Pedagogia: Diálogo e Conflito. 2ª ed. São Paulo:
Cortez, 1986.

Gimeno Sacristán, J. O Currículo: uma Reflexão sobre a Prática. Porto Alegre: Artes Médicas, 1998.

Hall, S. "Quem Precisa de Identidade?" In: Silva, T. T. (org). Identidade e Diferença: A Perspectiva dos Estudos Culturais. Petrópolis: Vozes, 2000.

Hall, S. A Identidade Cultural na Pós-Modernidade. Rio de Janeiro:
dp&a, 2003.

Illich, I. Deschooling Society. New York: Harper & Row, 1972.

Lyotard, J.-F. A Condição Pós-Moderna. Rio de Janeiro: José Olympio, 2000.

Lyra, C. As Quarenta Horas de Angicos: Uma Experiência Pioneira de Educação. São Paulo: Cortez, 1996.

Mello, T. de. "Poesia". In: Streck, D. et al. (orgs.). Dicionário Paulo Freire. 2ª ed. Belo Horizonte: Autêntica, 2010.

Saul, A. M. (org.). A Construção do Currículo na Teoria e Prática de Paulo Freire. In: Apple, M.; Nóvoa, A. (org.). Paulo Freire Política e Pedagogia. Porto: Porto Editora, 1998.

Saul, A. M. e Silva, A. F. G. da. "O Legado de Paulo Freire para as Políticas de Currículo e para a Formação de Educadores, no Brasil". Revista Brasileira de Estudos Pedagógicos, mec-inep, 2009.

Saul, A. M. Formação permanente de educadores na cidade de São Paulo. ANDE – Associação Nacional de Educação. Ano 12, nº 19, 3ª ed. 1993.

Shaull, R. "Foreword". In: Freire, Paulo. Pedagogy of the Oppressed. New York: Herder and Herder, 1972.

Silva, A. F. G. da. A construção do currículo na perspectiva popular crítica: das falas significativas às práticas contextualizadas. São Paulo: Tese de doutorado em Educação - ppged/Currículo/PUC, 2004.

Silva, T. T. Documentos de Identidade: Uma Introdução às Teorias do Currículo. Belo Horizonte: Autêntica, 2002.

Streck, D. R. Educação para um Novo Contrato Social. Petrópolis,
Vozes, 2003.

Streck, D. R.; Redin, Euclides; Zitkoski, Jaime (orgs.). Dicionário Paulo Freire. 2ª ed. Belo Horizonte; Autêntica, 2010.

Torres Nóvoa, C. A. La Práxis Educativa de Paulo Freire.

Mexico: Gernika, 1977.

Torres, C. A. et al. Educação, Poder e Biografia Pessoal: Diálogos com Educadores Críticos. Porto Alegre: Artes Médicas, 2000.

Torres, R. M. "Os Múltiplos Paulo Freire". In: Araújo Freire, A. M. (org.). A Pedagogia da Libertação em Paulo Freire. São Paulo: Unesp, 2001.

Zitkoski, Jaime J. Horizontes da Refundamentação em Educação popular: um diálogo entre Freire e Habermas. Frederico Westphalen: eduri, 2000.

Zitkoski, Jaime J. O Método Fenomenológico de Husserl. Porto Alegre: ediPUC-RS, 1994.

Zitkoski, Jaime J. Paulo Freire & a Educação. Belo Horizonte; Autêntica, 2006.